까라!

안전가옥 쇼-트 03

한켠 단편집

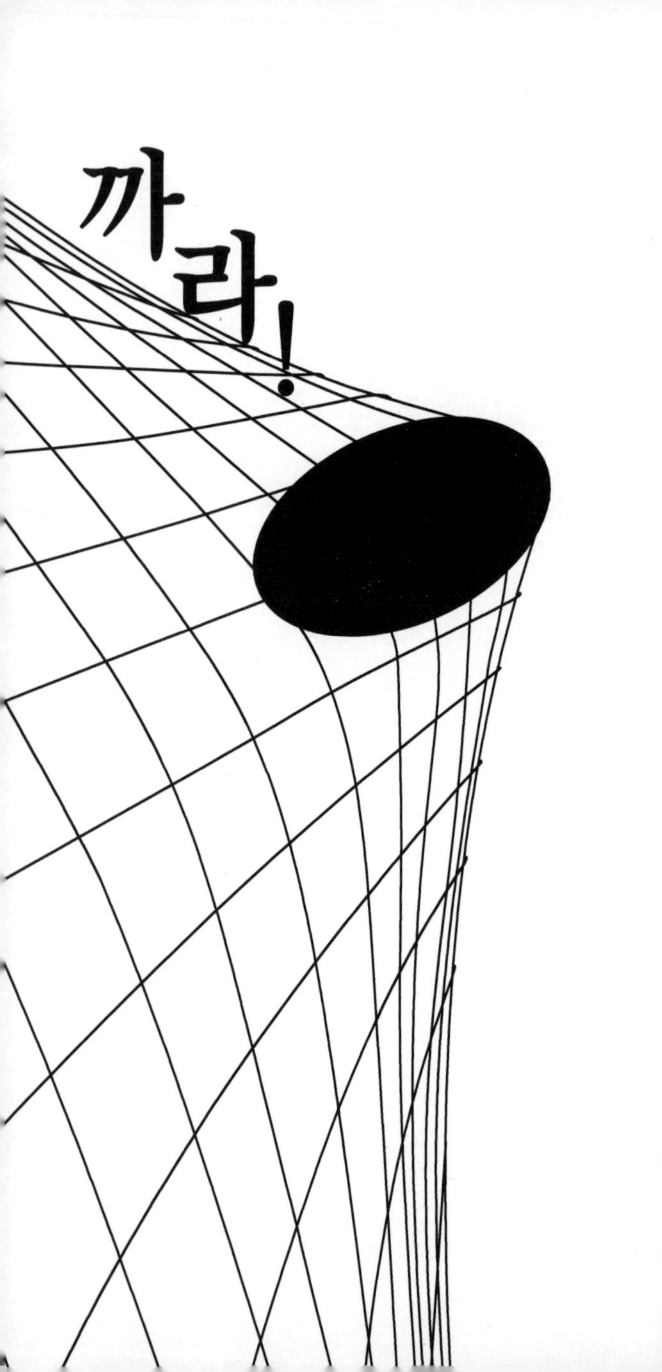
까라!

전반전

소화 10년(1935년) 4월 12일

“얼마 전에 동성연애하든 가정부인하구 여학생이 손잡고 투신한 철로가 여기라문서?”

“원래는 둘이 여학교 동창인데 그 가정부인은 집안에서 좋은 혼처 놓치기 아깝다구 학교 그만두게 하구 시집을 간 게지. 어찌나 맨날 울어 대는지 통곡 소리가 담장 밖으로까지 새어 나왔다지 않아.”

“여학교 졸업하믄 동성연애도 졸업하구 시집이나 가는 게지. 여학교는 저처럼 교육받은 남자 만나서 스위트홈을 꾸리려구 거쳐 가는 정류장인데 뭘 그리 유난을 떨었담.”

“여학교 졸업하구 유학을 가거나 직업여성이 될 수두 있지 않나요.”

“요새 유학해두 남자두 일자리가 없는데 여자는 있겠나. 여학교까지 나와서 공장 노동자는 못 될 터이고 데파트걸 빠스걸 할로걸[1]은 손님한테 희롱 당하는 게 예삿일이구. 그러니 시집이나 가는 게 제일루 남는 장사지."

"졸업하구 직업 있어두 여자 혼자 살다 자식 없으면 말년에 여관방이나 전전하는 거라. 시집은 가야 하구 아기 낳으믄 가정부인이 되어서 영양가 있는 식단두 챙겨 주구 아이 발육도 왕성케 하구 두뇌 발달두 도모해야 하니까 어차피 직업여성 되어두 오래 못 가지."

"그러게 왜 그런 걸루 울어 대서 소문만 짜하게 나구. 집안 망신 시키구. 암탉 우는 소리가 담을 넘으믄 집안에 망조가 든다드니."

"학교 가구 싶어서만 울었겠어. 그거야 아기 낳구 키우다 보면 자연히 새 행복에 눈뜨게 되어 잊혀질 거. 남편은 밤마다 요릿집 가서 기생 끼구 돌구 시어미는 문화주택에서 뒤주며 절구며 구식 살림 끼구 도니 신식 며느리가 딴스홀에서 딴 남자 허리 끼구 돌지 못할 바엔 여학교 시절 추억이나 끼구 사는 게지."

"그러니 여자가 공부하면 팔자가 세다지 않아. 집안에 들어앉아 딴생각에 맘이 동하니 박복할 수밖에."

"그래두 하두 섧게 우니까 행랑어멈 붙여서 학교 다니게 해 줬담서."

"근데 학교서 돌려보냈대. 결혼하믄 학교 못 다니는 게 교칙이라구. 그런 교칙이라두 있어야 학생

---

1 '데파트걸'은 백화점에서 일하는 여성, '빠스걸'은 버스 안내원, '할로걸'은 전화 교환원.

들이 재학 중에 학교 핑계라두 대서 조혼을 못한다는데 글쎄, 이런 경우엔 너무 심하지 않아? 남자들은 조혼하구서두 학교 잘 다니는데 말이야."

"남학생들은 방학 때 고향 다녀올 때마다 조혼한 구여성 부인한테서 애를 만들고 학기 중에는 경성에서, 그 뭐냐. 첩두 아니구, 구여성 마누라 있는 남자와 결혼한 신여성 출신 부인, 아 그래 그거. '제2 부인'을 만든담서."

"글게, 학교라두 다녔으믄 살았을 터인데 시집에는 돌아가기 싫구 학교에선 거부당하구 친정에선 시집 귀신이 되라며 쫓아내니 에스언니를 찾아간 게지."

"에스언니두 어찌해 줄 방법두 없구 둘이 도망가서 살 방도두 없으니 울기만 하였다지 않아. 그러다가 붉은 천으로 서로를 묶었다지. 사랑의 완성은 한날한시에 죽는 거라지 않아. 게다가 세상 사람들 보라구 철로에 몸을 던졌으니."

"에그, 불쌍해서 어쩌나. 꽃 같은 미인들이 박정한 세상을 영영 작별하여 버렸네."

"사후에라두 같이 있으라구 두 집안에서 재를 섞어 주었다니 아주 작별은 아니지."

피 묻은 기차를 타고 쫓겨나듯 경성에 왔다. 처음 타 본 기차는 둔중하고 쾌속하였다. 앞자리에 앉은 승객들이 ≪별건곤≫[2] 기사처럼 무심히 타인의 사연을 논평했다. 나는 일개 타인이 될 수 있는 곳으로 왔다. 이곳에서 아조 다른 사람이 될 터이다.

---

2 1926년 창간되어 1934년 종간된 대중 잡지.

아비는 편지도 미리 뜯어 검열하고 면회도 제한되는 형무소 같은 기숙사에 들어가라 했지만 올 편지두 없고 면회 올 이도 없는데 기숙사에 들어갈 까닭이 없었다. 아비 말엔 대꾸하지 아니하고 혼자 기거할 수 있는 하숙집 방 하나를 얻었다. 짐을 풀자마자 가위를 꺼내 댕기 머리를 자르고 단발랑이 되었다. 기차를 타던 순간부터 작정하던 일이었건만 귓속으로 매정한 목소리가 들려왔다.

'제 어미가 사상(思想) 기생[3]이라 단발을 하더니만 딸년도 똑같구마잉.'

마구 도리질을 하였다. 머리카락이 뺨을 때렸다. 무엇이 잘못인지도 모르고 맞았다. 바람이 불었다. 머리카락이 바람에 날렸다. 눈을 감았다. 머리카락이 한 올씩 버들가지처럼 흔들렸다. 그제서야 머리가 가벼워졌다.

내처 치마도 잘랐다. 종아리를 가리게 잘랐다가 무릎을 덮을 만치 잘랐다가 한 번 더 잘랐다. 치맛단이 무릎 위로 깡총하게 올라갔다. 곧지 않은 다리가 드러났다. 어릴 적에 업혀 자라질 못해 쭉 펴졌을 줄 알았더니. 영양을 챙겨 줄 엄마가 없어서 이리 되었을까.

하숙집 밖으로 한 발을 내디뎠다. 치마가 살랑거리고 다리를 휘감는 게 아무것도 없으니 걸음이 가뿐해졌다. 춤을 추듯 뱅글 돌고 길바닥을 차올리며 걸어 봤다. 나는 아조 모던한 여학생이 될 터이다. 문득 악담이 발목을 잡았다.

---

3 독립의 필요성을 적극 주장한 기생.

'요사이는 기생들도 여학생 흉내를 낸다더니만 그게 참말이구마잉.'

발목을 휘감는 목소리를 잘라 내고 쫓아오는 목소리보다 빨리 달렸다. 엄마는 어린 나를 두고 어디로 갔을까. 온갖 목소리와 눈초리가 내 손짓 말투 시선을 다 못마땅해 하는 곳에 떼어 놓고선. 엄마는 어쩌다 천하의 호색한 한량 풍류남아 난봉꾼 오입쟁이 내 아비에게서 나를 낳았나.

아마 아비가 학생일 제 요릿집에서 기생 무릎 베고 한숨 한 번 쉬고 천장 한 번 보고 취한 낯을 붉히며 엄마에게 허세를 부렸으리라.

"이 시국에 이 마음을 뉘한테 토로하랴."

엄마는 가만가만 타일렀으리라. 학생은 요릿집 말구 학교에서 기생 대신 책을 끼구 있어야 만세 부르다 잡혀간 동무에게 낯부끄럽지 않은 삶을 살 수 있지 않겠냐고. 흥 많고 정 많아서 홍정은 서툴렀다던 엄마는 기생 동무들을 따라 만세를 부르고 나를 낳고 단발을 하고 바지를 입고 말을 타고 어디로 갔을까. 쟌다르크와 나파륜[4]을 따라 불란서로 갔나 빌헬름텔을 좇아 서서국[5]으로 갔나. 기둥서방 없이도 기생 혼자 살 수 있게 무부기(無夫妓) 조합[6]을 만들겠다고 한남권번[7]을 드나들었다던 엄마는. 중이 법명

4 나폴레옹.

5 스위스.

6 기둥서방 없는 기생들의 조합.

7 전라, 경상, 충청도의 기생들이 서울에 조직한 조합.

을 받으면 속명을 버리듯이 교방[8] 문턱을 밟으면 아명[9]을 잊는대서 기명[10]만 남긴 엄마는. 엄마가 이름을 버리고 나를 버렸듯이 나는 엄마를 떨치고 신여자가 될 터이다. 엄마가 지어 주었다는 이름 대신 새 이름으로 살 터이다.

달리다 지쳐 올라탄 전차는 기생들이 사는 다방골을 지나 본정으로 향했다. 시골서 막 상경한 듯한 노인네, 긴 치마 입고 아이 업은 아낙, 양복 입은 은행원, 교복 입은 학생이 뒤섞여 남녀노소 귀천 없이 만원인 전차를 타면 아비는 뭐라 하려나. 양반 출신도 상놈 출신도 구별이나 차별 않는 전차를 보고 뭐라 하려나.

허랑방탕하게 살면서 그저 금광에 구애했는데 그것이 마침내 터져 거부가 된 아비는 고향에 돌아가 문화주택을 짓고 경성말만 구사하며 기생첩을 둘이나 거느리고 행랑아범과 어멈을 두고 소작농들에게 거들먹거리며 구시대적 양반놀음을 했다. 아비는 아들을 간절히 바랐으나 나 말고 다른 자식이 없었다. 아비는 낫살이나 먹어서도 닷 살이나 많은 조혼한 처에게 책망을 쏟아 냈다. 채 성숙하지도 않은 어린 애가 방학 때마다 조혼한 마누라를 안게 되니 자연히 생식기관이 허약해지지 않았겠느냐고 눈을 흡떴다. 손이 귀한 집안이라 양자 들이기도 여의치 않아 어쩔 수 없이 나를 집에 들였댔다. 구여성인 새어머

---

8 기생 학교.

9 어릴 때 부르는 이름.

10 기생의 이름.

니는 '자식 못 낳은 죄'로 날 키우며 늘 등 뒤에서 구시렁댔다.

"씨도둑질은 못 한다드니만 제 어미는 고왔는데 저 썩을 년은 왜 지 애비랑 똑같이 못생겼다냐."

아비는 언젠가는 조선도 일본처럼 서양자[11]를 들여 대를 이을 수 있을 것이니 경성 가서 공부 열심히 하고 있으라 했다. 똑똑하고 가난한 고학생이 아비의 사위가 되겠지. '기생 년의 딸'은 신여성으로 신분세탁을 하고.

"조선 여자는 삼단 같은 머리채에 청초한 멋이 있거늘 요새 여학생들은 말이야, 서양 여자처럼 체격이 발달하지두 못했으믄서 서양 여자처럼 다릴 내놓구 다니니 짧구 굵어 조선무처럼 생긴 다리가 흉하지두 않은가 보네. 노동자두 아니면서 편하다구 단발을 하구선 머릿기름을 바른다 뭐다 손질은 댕기 머리보다 더 하고 퉁퉁하구 넙데데한 조선인 얼굴을 드러내구 다니니 이야말루 눈 둘 데가 없다는 말이 딱 들어맞는 경우 아닌가."

전차 안에서 단장[12] 짚고 맥고모자[13] 쓴 남자가 나 들으란 듯 혼잣말을 해 댔다. 서양 여자처럼 건장하면 조선 여자답지 않게 억세다고 할 것이요 조선 여자마냥 비루하면 진보치 못하였다 할 터이니 조선 여자 몸뚱어리는 어느 나라에 속한단 말인가. 고향

---

11 양자로 삼은 사위.

12 짧은 지팡이.

13 밀짚모자.

서 기생 딸이라고 뒤통수에 따라다니던 시선들이 경성에선 여학생에게 따라붙었다.

다방골을 지나쳤듯 조선인들이 사는 종로 쪽으론 발끝도 대지 아니하고 본정으로 갔다. 포장된 도로에 단장 짚는 소리들이 게다짝 발걸음만큼이나 딱딱댔다. 내 걸음은 본정에서 제일 화려하다는 데파트로 향했다.

코티분[14]을 바르고 퍼머넨트로 머리를 지진 데파트걸들이 능숙한 일본어로 향수를 팔았다. 나도 여학교를 졸업하면 직업여성이 되어야지. 여학교 졸업생들이 부유한 남편감 찾으려 부러 데파트걸 된다지만 나는 내 손으로 내 돈 벌어 내 밥 먹으려고 직업여성 되어야겠다. 희롱 따위 참아 넘겨야겠다. 하다가 아까부터 구매는 아니하고 산보하듯 구경만 하며 시간을 죽이는 풀죽은 룸펜 청년에 눈이 갔다. 남학생도 일자리가 없어서 이 시간에 백화점만 돌고 있는데 용모 단정치 못하고 아비가 유학도 안 보내 줄 나에게 무슨 자립이 있으랴. 남들이 우러러볼 직업을 가져도 나는 아들이 될 수 없다. 사위가 할 수 있는 걸 내가 더 잘할 수 있어도 아비는 사위를 들일 터이다. 아비의 집도 아비의 돈으로 얻은 하숙집도 내가 사지 뻗고 살 내 집은 아니다. 왜 내겐 내 집, 내 방, 내 자리가 없을까. 본정이 아무리 호화로워도 동경(東京)은 아니듯 내가 아무리 신여성을 동경해도 기생과 졸부의 피를 다 개조할 수 있을까. 휘황

---

14 프랑스 코티(coty)사에서 생산된 페이스 파우더.

한 데파트가 허황히 느껴질 제, 데파트걸이 호객을 하였다.

"이제 곧 날이 더워지면 자연 땀이 날 터인데, 이 향수를 뿌리고 다니면 은은한 향이 불유쾌한 땀내를 가리고 원래 체취인 양 남의 기분까지 명랑케 한답니다."

데파트에서 향수를 샀다. 이전의 나는 가리고 감추고 숨기고 남들 눈에 아조 새로운 사람이 될 터이다. 나는, 나는, 나는!

소화 10년(1935년) 4월 13일

왼손에 양산을 오른손에 핸드백을, 아니면 모자를 쓰고 왼손에 찬합을 오른손에 책을 든 채로 전차를 탄 뒤 경성 외곽으로 나가 버스로 갈아타서 교외로 하이킹을 나가 보려고 하였다. 번잡한 경성을 벗어나면 청쾌한 단발이 휘날리고 치맛단이 경쾌하게 팔랑이면 발걸음도 유쾌하니 절로 상쾌해지리라.

그런데 어쩐 일인지 전차마다 사람이 꽉꽉 들어차서 타는 건 어찌어찌 타도 내릴 엄두조차 낼 수 없었다. 건너 듣자 하니 오늘 경평전이 열린댔다. 그렇게나 대단하다고 말로만 듣던 경성과 평양의 축구전이라니 가 봐야 했다. 이제 나도 경성 사람이니까.

경성에선 어딜 가도 사람이 많다더니 경성운동장에는 온 경성과 평양 사람들, 전 조선 인구를 다 모아 놓은 듯 관중석이 그야말로 입추의 여지 없이 빽빽하였다. 촌뜨기처럼 보일까 봐 공연히 고개를 두리번거리지도 않고 관중석 한 자리를 차지한 채 경기만 보았다.

공 하나를 스무 명이나 쫓아다니는 꼴이 한심하였다. 뼈다귀를 던져 주면 그게 주인이건 원수건 상관없이 좋다고 뛰어다니는 개 떼나 다름없었다. 조선인들이 축구를 좋아하는 이유를 알 것 같았다. 이놈 저놈 발에 채이는 뽈이 꼭 조선의 신세 같아서 그런다. 열강들은 자기들끼리 걷어차면서도 조선이라는 뽈을 차지하려고 난리 통인데 조선인들은 관중석에만 앉아 있었다.

"까라![15] 까라! 까라! 까라!"

경성 선수가 뽈을 빼앗기자 응원이 터져 나왔다. '소요 사태를 우려한' 일경(日警)의 치안 유지와 관중의 함성이 대치했다.

"막히면 정강이를 까고 박치기를 하라우!"
"투지를 갖고 뛰어야디 다리 부러디고 이마 깨진다고 인력거에 실려 나가면 그거이 어데 조선 사람이간?"

서로 상대 선수를 까라고 했지만 속마음으로는 누구를 까고픈지 모두가 다 알고 있었다. 선수들은 뽈을 왜놈 대가리 차듯 뻥뻥 차 댔다. 조선 사람은 만세를 진압하면 <아리랑>을 부르고 검열을 당하면 "까라!"를 외친다.

---

15 고의로 상대 선수를 태클하라는 의미의 응원.

빨간 옷의 경성군과 파란 옷의 평양군은 하프라인에서 일진일퇴하여 태극 문양을 그렸다. 경성군의 철각 건아들은 임전무퇴하여 펄펄 날았다. 평양군은 가히 준족 호걸이었다. 경성군 선수들이 제바닥에서 기세를 올리는 거야 당연지사지만 평양군의 필승 기세도 대단했다. 평양군이 꼴킥으로 도발하면 경성군이 응전하여 뽈은 문전 교래(門前 交來)만 하였다. 문전 혼전한 대격전이요 사기충천한 육박전이었다. 양군이 용호상박이었다.

싸이드 슛, 코너킥 모두 빗나가고 뽈이 꼴포스트를 맞고 튕겨 나갈 때마다 관중석에서 "불성(不成)이로다!", "무위(無爲)로다!"라는 탄식이 새어 나왔다. 타임업될 때까지 뽈은 꼴키퍼의 선방에 막히고 수비수에 침탈당하여 도저히 적진 꼴대에 진출하지 못하야 서로 수차례 위기를 면하여 근면히 상대 진영을 탐색할 뿐이었다. 결국 뽈은 경기 종료될 때까지 꼴대에 침입하지 못하였다.

"0 대 0으로 비기긴 하였으나 그래도 호(好) 께임이지 뭐."

"제바닥 아니니 현상 유지만도 잘한 거라는 썩어빠진 정신머리로 뽈을 차니 승전을 못하디. 랭면집 문 닫고 온 응원 사람들 보기 부끄럽디 아니하려면 경성군에 불벼락을 내리겠단 각오로 뛰어야디 않갔어? 무승부는 호 께임이 아니구 말구."

동시에 나온 경성 여자와 평양 여자의 혼잣말이 대화가 되었다. 옆자리를 보았다. 서로의 눈이 마주쳤다. 여흥이 남아 서로 어깨를 걸고 삼삼오오 몰려

나오는 관중들 속에서 나와 옆자리의 응원객은 가만히 멈춰 있었다. 응원이 이명처럼 남았는지 귓속이 웅웅댔다. 관중들이 떠들어 대는, 아비의 남녘 어조 섞인 경성말 같은 헛된 말들이 귀를 찔렀다.

"왜놈들은 다리가 짧아서 못써. 조선인 다리가 단련만 한다면 강건하지."
"어부바랑 양반다리 때문에 조선인이 안짱다리란 건 다 옛말이야."
"축구도 마라손도 자전거도 조선인들은 다리로 하는 스뽀츠는 다 잘해."

거의 비어 가는 관중석에서 우리는 내내 그대로 있었다. 이대로 아무것도 하지 아니하고 하숙집으로 돌아가고 싶진 않았다. 아직도 이렇게 가슴이 뛰는데.

"… 설까요[16]?"
"섭세다. 남들 다 하는 뒤풀이는 해야디 않갔시오."

우리는 길가 선술집에서 술꾼들 하는 대로 짠지 안주에 잔술을 마셨다. 선술집은 경성운동장 못지않게 왁자했다. 조선 사람들은 스뽀츠 얘기만 나오면 목소리가 커지고 어깨가 올라간다. 일본을 이길 수 있는 분야라곤 스뽀츠밖에 없으니까.

우리는 축구 얘기는 하지 아니하였다. 언니가 나보다 한 살 위라는 것, 연애 상대는 없다는 것 등의 얘기만 했다. 나는요, 사실은 엄마가 기생이어요, 다시 만날 일 없는 언니에게 털어놓을까 봐 술을 입에 털어 넣고 꿀꺽 삼켰다. 혀가 얼얼하고 목구멍은 후끈

---

16 "선술집에 갈까요?"라는 뜻의 질문.

하고 눈은 홧홧하고 심장은 콩닥이고 속은 울렁였다.

"처음입네까?"

술이? 아니면 이 감정이? 술도 경평전도 뭐든 다 처음이었다.

언니는 술기운이 돌아 따듯해진 내 볼에 자기 손을 대어 수그러드는 고개를 받쳐 주었다. 언니 손의 체온 때문에 내 볼이 발갛게 익는지도 모르고 괜찮냐고만 물어봤다.

"그깟 축구, 0 대 0이 뭐 어때서…."

"0 대 0이니까 문제 아니갔시오? 개도 제 마당에선 더 크게 짖는다는데 경성군은 어째 1점도 득점치 못했시요? 두고 보라우. 내일 경기에서 평양군이 압두의 세로 쾌히 설욕하여 승전이 뭔지 알려줄 터이니."

"내일도 오시나요?"

"평양 사람들은 평양군하고 같은 기차로 돌아가니 당연히 내일도 오지 아니하갔시요."

"그럼 내일도 나란히 앉아요. 내기를 해요. 뭘 걸까요?"

똑바로 걸을 수 있었지만 공연히 어리광을 부리고만 싶어져서 언니에게 머리를 기대고 팔짱을 꼈다. 내 꼴이 주정뱅이 같아서 그랬을까. 낯빛이 불콰한 늙다리 미치광이가 공연히 야료[17]를 부렸다.

"요새 못된 걸인지 모단 걸인지 하는 년들이냐 아님 기생 년들이냐? 속살 훤히 비치는 저고리에 무

---

17 트집을 잡아 함부로 말함.

다리 드러내 놓고 다니니 나중엔 홀딱 벗고 다니겠어! 종로 포목상들 다 굶어 죽겠네!"

내 눈엔 잠자리 날개처럼 비치는 얇디얇은 언니의 저고리가 곱기만 한데. 얄보드레한 입술 아래 가느다란 혈관이 맥동하듯 얄따란 사(紗) 아래 굳센 심장이 두근댈 텐데. 왜 주위의 사내들은 낄낄거리기만 할까. 전차 안의 맥고모자 쓴 모던 보이도 선술집의 늙다리도 왜 조선 사내들은 모던 걸이라면 훑어보고 간섭하고 참견하고 욕을 할까.

"개인주의라고, 신(新)사상 모르십네까? 누가 뭘 입건 남한테 해 끼티디 않으면 관계치 마시라요. 옷을 바꾸는 것보담 영감님이 눈감는 게 편하니 그리하시라요."

못 들은 척하거나 도망치거나 피하려고만 했던 내가 진즉에 해야 했던 말들을 언니가 대신 해 주었다. 그때 날 따라다니던 목소리가 팔에 매달렸다. "기생 년의 딸이라 술 마시는 거 좋아하다 봉변당했구마잉."

"아이고오, 평양에서 왔나 보네? 남쪽은 전주 기생, 북쪽은 평양 기생이라드니. 기생 년이 단장하고 사내 후려서 살림 들어가려는 수작이니 어찌 관계치 아니할 수 있나."

아니라고 언니처럼 댓거리하고 싶었지만 눈물이 먼저 나와 뒤돌아 버렸다.

"평양엔 기생도 있지만 학교랑 공장도 많습네다. 도산 선생과 홍범도 장군도 배출하였시요. 일본이 대륙으로 진출하면 평양이 전초기지가 되어 경성보다 훨씬 더 발전할 겁네다. 평양 얕잡아 보디 마시라요. 그리고 이쪽은 둘 다 학생입네다만, 기생한테 년 자 붙이는 건 문명인이 아니디요. 그네들도 사람이고, 부모들이 가난하여 어찌할 수 없이 기예 배워 놀음에 불려 다니는 사람들이란 말입네다. 열서너 살 먹은 어린 기생 주무르며 희롱하는 사내놈들이 함부로 멸시할 사람들이 아니디요."

언니가 나를 끈덕지게 붙잡고 있던 목소리를 끊어 내 주었다. 이제 더는 '기생 년의 딸'이 내 이름이 되지 못하리라. 그럼 이제 내 이름은 뭐가 될까.

"학생이면 애비한테 책 산다구 돈 달래서 그따우 저고리나 해 입었겠구만."

과연 다른 사람에겐 다 져도 여자에겐 지지 않겠다는 조선 남자의 기개였다. 언니의 말문이 막힐 때까지 입으로 숯을 쏠 태세였다. 그러나 언니는 북방의 기개로 철벽 방어를 하였다.

"그 말씀 똑같이 저기 맥고모자에 단장 돌리는 모던 보이들한테 가서 해 보시라요."

졸지에 '애비한테 책 산다구 돈 달래서 그따우 모자와 단장을 사들인 학생'이 된 사내 둘이 다가왔다. 늙은이는 그제야 말없이 술만 마셨다.

"자자, 이러지들 마시구 우리 나가서 코코아라두 드십시다."

차림새는 영화로 배우고 연애는 잡지로 배웠나 보았다. 이번엔 내가 언니처럼 말했다.

"우리는 이만 가서 쉬겠으니 갈 길들 가셔요."

그들은 전담 수비수마냥 끈덕지게 우리 앞을 막았다.

“경평전 보러 오신 게지요? 평양군의 후리후리한 미남 선수가 그렇게 인기가 많아서 여자들이 과일 한 개, 연서 한 통이라두 전하려구 난리라던데요.”

“선수 말고 축구 보러 왔시요. 평양에선 공장 노동자들도 어린애 손 잡고 축구 보러 다닙네다.”

“그럼 코코아 마시면서 축구 얘기나 하지요.”

“뭐 오프싸이드라도 설명하려고 그러십네까? 이미 다 압니다.”

“아까부터 같이 가지 아니하겠다구 말했지 않아요.”

“요새 여학생들이 남편감으로 문학 취미두 갈구 피아노두 좀 치구 직업적으로 다달이 생활에 부족이 없게 버는 남자를 원한다드니 그런 허영 때문에 학생은 연애 상대루 꺼리는 겁니까? 돈 없는 작가래두 마음만 맞으면 같이 살 수 있다는 낭만은 이제 드물긴 하지요.”

“그런 게 아니라 낭만, 결혼 운운하면서 정조를 유린하고서는 그제야 조혼한 구여성 부인이 고향에서 부모님을 봉양하고 있다고 실토할까 봐 조심하는 거여요. 요새는 민적두 위조한다지 않아요. 과학적으로 여자는 과거 남자의 피가 혈관에 남아 있게 되어 자식을 낳으면 그 피가 섞인다면서요. 그러니 결혼 전까지는 연애두 아니하구 순결하여야지요.”

부드럽게 타일렀는데도 취한 남학생들은 막무가내였다.

"구여성 부인과는 이혼할 거외다. 부모의 강권으로 사랑 없는 결혼 생활을 하는 나두 구습의 피해자요."

"생활의 방도가 없는 구여성 부인에게 재산이라두 절반 떼어 줄 능력두 없구 부모와 절연할 배짱두 없구 연애하는 신여성 애인에게 결혼하겠다 약속할 의지두 없으니 모던 보이야말로 못된 보이 아니어요?"

언니가 늙은이와 댓거리하는 양을 봤기에 나도 해코지당할까 속으로 떨면서도 겉으로 당찰 수 있었다. 언니가 진즉 내 손을 잡고 있었다면, '기생 년의 딸'이라는 고향 사람들의 조롱에도 내 옷차림과 몸을 평하던 전차 승객들의 희롱에도 지금처럼 대꾸할 수 있었을 터였다. 언니를 그때 알았더라면.

아니다. 역시 아무 말 없이 피했어야 했다. 똥은 더러워서 피하지 무서워서 피하는 게 아니다. 배에 힘을 주고 발을 구르고 목이 터지게 응원했던 목소리는 운동장 담장을 넘지 못하였다.

"여자가 짧은 치마 얇은 저고리 입고 취해 있으면 남자한테 같이 나가잔 신호 보내는 것 아니오?"

수컷들은 나와 언니의 손목을 낚아채려 하였다. 언니가 내 손을 깍지 껴서 꽉 잡았다. 절대 풀리지 않게.

"한 마디만 더 하면 순사를 부르겠어요."

놈들은 겁을 먹기는커녕 이죽대기만 하였다.

"여기서 키쓰하면 풍기문란죄로 순사가 달려오기는 하겠네."

까라!

아버지라 하면 들통나겠고 먼 친척이라 하면 거짓말 같고 애인이라 하면 손가락질 당할 노릇이어서 무수한 고민 끝에 둘러댄 말이 "작은아버지가 순사셔요."였다. 그제야 그들은 "에이 더러운 년들." 하고 우리를 보내 주었다. 차라리 왜놈에게 당했으면 민족적 울분이라도 토할 터인데, 조선인에게 당하고 순사를 입에 올려 위기를 모면하니 분한 마음을 이루 다 말할 수 없었다. 낮의 경평전은, 그 응원은 다 무어였나. 경성과 평양이 갈등하고 조선의 남자들은 왜놈에게 당한 만큼 조선 여자를 밟는다. 순사들이 취체[18]하듯 여자를 평가한다. 조선 여자는 조선 남자의 식민지다. 조선 놈들은 다른 건 다 무력하니 스뽀츠나 한다. 경평전은 도피처요 아편이다.

까라! 모조리 다 까 버려라! 공차기인지 사람차기인지 모를 축구처럼 동족인지 원수인지 모를 수컷들 따위.

18 규칙을 지키도록 통제함.

언니에게

언니, 저는 지금 푸른 새벽빛에 기대어 이 편지를 쓰고 있어요. 모로 누워 잠든 언니의 동그란 볼에 흘러내린 단발머리를 가만가만 쓰다듬다가 제 손가락 사이로 언니의 머리를 빗기다가 언니의 꿈속으로 들어가고 싶어질까 봐 일어나 앉았어요. 언니의 다정한 숨소리와 봄바람 같은 숨결에 자꾸 어젯밤이 떠올라요. 그러니 언니, 이 편지는 남들 없이 혼자 계실 때에 읽어 주셔요.

도망치듯 선술집에서 나오면서 공연히 제가 선술집에 가자 하여 그 사달이 났던가 싶어 사과의 말을 입안에서 고르고 있는데 언니는 아무렇지 않게 말하였지요.

"주후 오락으로는 산보만 한 게 없다. 좀 걷디 않

갔니?"

밤거리를 활보하는 전차를 타고 창경원에 갔지요. 내내 아무 말 못하고 있는 저에게 언니는 한쪽 팔을 내밀었지요. 그 팔에 제 손을 얹으니 언니가 마치 활동사진 속에서 레이디를 에스코트하는 신사처럼 보였답니다.

창경원은 일본이 황제를 유폐시키고 위안한답시고 구경거리 삼아 만들어 준 동물원이라 하여요. 감히 궁에다가 동물 분뇨 냄새나 풍기다니 황제를 능멸한 게 아니면 무어냐는 사람도, 구라파처럼 이국의 동물을 잡아 와 동물원을 만들고 동물들을 관찰하여 견문도 넓히고 생태학도 발전시키란 사람도 있지만 그날 밤 창경원의 산보 인파는 마냥 행복스러워 보이기만 했어요. 언니와 저도 별 시답잖은 얘길 하면서도 연해 창경원의 만개한 벚꽃처럼 미친 듯이 깔깔대며 웃었지 않아요.

벚나무 가지마다 흰 꽃잎이 와사등[19] 불빛을 받아 성탄 트리처럼 빛나고 연애하는 청춘 남녀들이 비밀스레 속살대고 저는 저 많은 허니와 달링 중에 몇이나 무사히 스위트홈을 꾸릴 수 있을지 궁금했어요.

떨어진 벚꽃잎을 밟을수록 저의 발걸음은 꽃잎마냥 가벼워져 둥실 떠오를 것만 같고, 언니의 팔을 붙들다가 언니까지 떠올라 둘이 함께 벚나무 꼭대기로, 달 속으로 갈 수 있을 것만 같았답니다. 저 아래서 어린애 하나가 우리에게 손을 흔들겠지요. 아이와 산책 나온 부모는 아무것도 모르고 아이의 머리

---

19 가스등.

나 쓰다듬어 주겠지요.

"언니, 나 아직 술이 덜 깨었나 보아요."

벚꽃이 흩날려 눈앞이 어지럽고 왠지 내리는 눈을 받아먹듯 떨어지는 벚꽃잎을 입술로 받을 수 있을 것 같아서 입을 쭉 내밀었지요.

"아직도 술 냄새 나는지 맡아 보면 알갔구나."

언니와 저 사이에는 얄보롬한 꽃잎 한 장 두께 만큼의 틈밖에는 남지 않았지요. 벚꽃이 낙하하는 찰나에 언니의 입술이 내 입술에 닿았잖아요. 달 아래 마주 서서 입을 맞추고 손끝이 맞닿고 손을 맞잡고 가슴을 맞대고 서로의 다음 말을 맞추고 서로에게 떨어지는 꽃잎을 맞히고… 보름달만큼 커다란 벚꽃잎에 가려서 그때 제 눈엔 아무것도 보이지 않았어요. 언니는 어떠하셨나요.

언니는 여관방을 구해야 한다고 했지만 제가 우겨서 제 하숙방으로 간 거여요. 베개도 이불도 하나뿐이라 언니와 한 이불을 덮고 베개를 나눠 베니 또 다시 꽃잎 한 장 두께만큼 가까워졌지요. 몸을 옴찔하거나 발을 꼼질거리면 마음을 들킬까 목침[20]처럼 가만히 굳어 버렸어요. 언니의 숨소릴 듣고 숨결을 느낄 때마다 아득하고 아릿하여 언니의 혈관에는 피 대신 술이 흘러서 이리도 사람을 취하게 하나 싶었답니다. 이런데 어떻게 그냥 잠들 수 있었겠어요. 그래서 언니에게 말을 붙였던 거여요.

"언니는 졸업하믄 뭐 할 거여요?"

---

20 나무로 만든 베개.

"직업여성 중에 제일은 교원이라니까 일본 유학하여 자수과 졸업하고 교원 자격 얻어서 학교도 나가고 자수 작품도 팔면 혼자서도 생활은 되지 않갔니?"

"집에서 결혼하라고는 아니 하여요?"

"난 결혼 따윈 아니 할 테다. 결혼은 여자의 무덤이다. 서양 선교사들도 여자 몸으로 혼자 멀리 조선까지 와서 생활을 꾸려 가는데, 고작 현해탄 건너 유학하는 게 뭐 그리 대수며 내 나라에서 혼자 사는 게 뭐 그리 어렵갔니."

"언니는 수예를 좋아하여요?"

"남들은 소질 있다는데 난 지겨워 죽갔다. 평양 놈들은 축구는 지들이 하고 여학생들은 우승 깃발에 자수나 놓으라는데 영 마뜩잖다. 난 다 말했으니 묻디만 말고, 졸업하면 뭐할 거인디 너도 말해보라."

"잘 모르겠지만, 되게 막연하지만… 유명한 사람이 되구 싶어요. 허영기 있게 들리겠지만은요…."

"어데 레코드사에서 음반 취입을 하려고? 아님 최승희 씨처럼 무용을 하려고?"

"아이, 전 그렇게 곱지 아니하여요."

"독침 주먹 서정권 씨처럼 서반아 백인 선수와 붙으려고?"

"권투는 여자 경기가 없지 않아요. 남는 건 학업에 열중하여 고등문관 합격자 명단에 이름을 올리는 것뿐이겠지요?"

그런 얘기를 하다가 잠이 들었나 보아요. 잊기 전에 여기 적어 둡니다. 언니는 평양에 돌아가고 저는 경성에 남았으니 내년 경평전에서 재회할 때까지 망각하지 않도록요.

언니는 편지를 봉투에서 꺼내면서, 다 읽은 편지를 접으면서 편지지에 얼굴을 묻고 숨을 들이쉬겠지요. 지금도 방 안에는, 저의 손목에는 데파트에서 샀던 향기가 감돌고 있어요. 우리는 같은 향기를 호흡하고 있어요. 이 향기가 부디 저의 불유쾌한 면을 가리고 언니를 명랑케 하였기를 바라요.

소화 10년(1935년) 4월 14일

벚꽃잎 한 장을 사이에 두었던 인연으로부터

정월 언니에게

경평전 2회차 경기는 비가 와서 하루 뒤로 미뤄졌지요. 경성운동장 앞은 허탈해하거나 짜증 내거나 화내거나 툴툴대는 사람들로 어수선하였지만 저는 언니와 하루 더 같이 있게 되어 기껍기만 하였어요.

'선주후면(先酒後麵)'이라고, 냉면을 배달시켜 늦은 아침으로 먹는데 언니는 몇 가닥 후룩거리고 육수를 맛보더니 젓가락을 내려놓았어요. 그때 언니가 했던 말이 얼마나 제게 기대감을 갖게 하였는지 아셔요?

"요새는 왜 아무 음식에나 아지노모토[21]를 처넣는다니. 이러니 조선의 맛이 사라지는 거 아니갔니.

---

21 일본의 '아지노모토'사에서 개발한 감칠맛 나는 화학조미료.

다음 경평전 날에 너 평양 오면 내 우리 집에서 랭면 한 사발 말아 줄 터이니 꼭 오라. 꿩고기 고명이랑 육수 한 사발이랑 얼음 띄운 쨍한 동치미 한 사발이랑 면 한 사발씩 놓고 한 그릇에 말아서 후루룩 먹는 맛이 본바닥 랭면 맛이디."

날름 가겠다고 하기가 멋쩍어 공연히 한 번 튕기고 싶었어요.

"언니, 어제 우리 내기 걸려다 못 했지 않아요. 그거 지금 하지요. 이번 경기에서 경성군이 이기면 제가 평양엘 가고, 지면 아니 갈 거여요."
"평양에 아니 오겠단 말을 돌려 하는구만."
"반드시 가겠단 말이어요!"

이러구러 아침을 먹고서 함께 한강변으로 하이킹을 나갔지요. 언니는 한강을 보며 대동강과 겨루고 있었지만 저는 언니가 팔을 들어 강물을 가리킬 때마다 어룽대며 무늬를 만드는 언니의 반투명한 저고리 소매를 보았어요. 빗방울에 동심원을 그리는 한강은, 김치는 싱겁고 술은 독하다는 언니의 고향에 흐르는 대동강과 얼마나 닮았을까 궁금하였어요. 쇠로 지어진 군건한 한강 다리에선 가끔 연인들이 이뤄질 수 없는 사랑을 비관하여 동심결(同心結)[22] 매듭 짓듯 손을 잡고 뛰어내리지요. 그들은 강물을 따라 바다로 가서 비목어(比目魚)[23]가 되었을까요. 저는 그런

---

22 매듭의 한 종류. 혼인 예물을 포장하거나 염습할 때 사용한다.

23 눈이 한쪽에만 있는 물고기. 다른 물고기와 짝을 지어 서로 의지한다는 전설이 있다.

영원한 사랑이 낭만적으로 느껴지기도 하였답니다.

데파트에서 가쓰레쓰[24]와 라이스카레를 사 먹고 하숙에 돌아와 포장해 온 카스테라를 하나씩 집어 먹으며 나란히 아랫목에 배를 깔고 누워 언니가 가져온 잡지와 책을 읽었지요.

"내래 이래 봬도 잡지광이다."

언니가 내민 낡은 ≪세이토(青鞜)≫ 창간호에 처음 실린 글은 요사노 아끼꼬의 '부질없는 말'이란 시였어요.

(전략)일인칭 문장을 쓰도록 하자

나는 여자이다

일인칭 문장을 쓰도록 하자

나는, 나는[25](후략)

경성에 처음 왔던 날 저도 '나는, 나는, 나는' 하고서 그 뒤에 어울리는 말을 찾았어요. 나는 여자고, 경성 사람이고, 여학생이고, 엄마의 딸이고, 신여성이고, 언니의…

"내래 평양 돌아가면 이번에야말로 기필코 학교에 축구 구락부를 만들갔어. 우리 아바이도 그렇디만, 평양 부자들이 앞다투어 축구단 접대하고 거들먹거리며 환영사 하는 거이 눈꼴시어 못 보

---

24 돈가스.

25 한일근대여성문학회 역, ≪세이토≫(어문학사, 2007), p.11.

갔어. 응원은 다 같이 하고 축하는 남자들만 하는 거 영 꼴같잖디. 남자들이 요릿집에서 축하연하는 건 영광이고 여자들이 연서 주는 건 한심하다는 게 이치에 맞간? 내래 직접 축구 선수가 되어 여자들도 축구를 한다는 걸 보여 주갔어."

언니는 그러면서 제게도 학교에 축구 구락부를 만들라고 종용했지요. 응원만 하는 경평전도 이리 재미스러운데 우리가 직접 뛰는 경평전은 얼마나 더 재미스럽겠냐면서요.

언니가 정한 평양의 축구 구락부 이름을 듣고 웃은 건 절대 비웃은 게 아니었어요. 어디서 따온 이름인지 훤히 보여서였어요. 잡지 이름 '세이토'를 조선식 독음으로 읽으면 '청탑'이고 '블루스타킹'이란 뜻이지 않아요. 영국에서 여성의 정치 참여와 남녀 동등한 권리를 주장한 신여성들의 집단이 '블루스타킹'이었다지요. 언니는 여자도 동등하게 축구하자는 의미의 격조 높은 이름이라 하였지요. 하지만 경성 여학생 축구 구락부의 이름은 '블루스타킹'보다 멋들어질 거여요. 하기야, 뜻이 좋건 멋이 있건 무슨 상관이겠어요. 이기는 게 중요하지요.

언니가 읽고 나서 밀어 준 정월 나혜석의 소설 <경희>를 누워서도 정좌하고서도 소리 내서도 소리 내지 않고서도 읽었답니다. 언니는 나와 똑같이 하면서 혼잣말처럼, 다짐하듯 말했지요.

"나혜석 씨는 그림두 좋지만 글두 빼어나디. 경희가 여자이기 전에 사람이듯이 나도 사람이니 사내들이 할 수 있는 건 나도 다 할 수 있다구 생각하구 실천하려구 한다. 내가 이리 나혜석 씨를 좋아하니 학교 친구들은 나를 나혜석의 호를 따서 '정월(晶月)'이라구 부른단다. '빛나는 달', '수정으로 된 달'이란 뜻이기도 한데, 차갑고 고고하고 깨지지 않을 달 같디 아니하든?"

경희처럼, 우리 엄마도 기생이기 전에 사람이고, 나도 사람이라는 당연하고 무서운 인식이 솟아났어요. 경희처럼 바느질을 잘하는 언니는 독신을 결심하고 기도하는 경희처럼 부단히 쓰임새를 찾았던가요.

언니, 저는 거울 앞에서 경희처럼 팔을 쭉쭉 뻗고 제자리에서 뛰어올라 보았어요. 제 예상보다 높이 뛰어올라져서 깜짝 놀랐다가 이내 깔깔 웃음을 터뜨렸어요. 왜 이전에는 제 팔다리를 보지 아니하고 얼굴만 면경에 비추어 보고 못났다 하였을까요. '기생의 딸'이란 게 무어라고 발목을 잡고 손을 묶고 목을 조르게 내버려 두었을까요. 왜 맘껏 뛰고 힘껏 차지 아니하였을까요.

언니, 저는 새 이름을 정하였어요.

저를 경희라 불러 주셔요. 키쓰를 보내요. 답장을 주셔요.

소화 10년(1935년) 4월 15일
경희로부터

소화 10년(1935년) 4월 16일

평양행 내기를 걸고 본 경평전은 초반부터 악전고투였다. 어제 내린 비 때문에 운동장이 진창이 되어 말 그대로 이전투구(泥田鬪狗)였다. 양군 선수들은 그제의 난전을 설욕코저 개전 벽두부터 기세를 올리었다. 경성군이 돌진하면 평양군이 억제하고 평양군이 항진하면 경성군이 방해하였다. 언니는 옆에서 평양 선수들을 한 명 한 명 알려 주었다.

“저 선수는 공은 차고 사람은 까는 걸 동시에 하는 신기를 부리디. 저어기 경성군 선수와 이쪽 평양군 선수는 서로 앙숙이디. 경평전에서 붙기만 하면 공은 안 차고 서로 까기만 한다. 경성 선수가 키가 커서 황새 같지만 뱁새 같은 평양 선수가 몸이 날래서 잘 까고 있… 까라! 잘한다! 저렇게 까서 뽈을 챙겨 가야디. 그 왼쪽은 심판 뒤에서 까는 걸로 유명하고. 그리고 저 후리후리한 미남 선수는 원래 경성에서 학교 다니고 경성군 최전방 공격수네 집에서 같이 지내기도 하였는데, 둘이 승부욕이 만만치 않다. 연습하면 누구 하나가 지쳐 떨어질 때까지 하는데 밤새도록 끝나지 않았다더라. 젊은 경성군이 장쾌하다면 무오단[26] 때부터 이어진 평양군은 노련미가 있다."

언니는 선수 하나하나에 이입해서 선수가 찡그리면 같이 미간에 주름을 잡고 선수가 수비에 막히면 "까라! 까라!"라고 관중들과 한가지로 외쳤다. 나는 선수들에게 언니의 얼굴을 붙여 보았다. 잘 어울렸다. 언니는 관중석이 아니라 운동장에서 생동하고 약동할 사람이었다.

평양군은 자유축을 득하였으나 실축하였고 경성군은 위기를 탈하여 거침없이 평측 문전까지 침투했으나 평양군이 선방 반격하였다. 경성군은 맹렬히 꼴을 날렸으나 심판이 경성군에 오프싸이드를 선언하자 관중들이 일촉즉발 전면전을 벌일 위기에 처하였다. 사람들은 후반전을 위해 가까스로 진정하였다.

후반전에는 삐긴하자마자 평양군이 단기필마(單騎匹馬)의 기세로 단독 드리블하여 1점을 선취하였다. 언니는 자리에서 일어나 풀쩍 뛰며 팔을 뻗어 환호했다. 경성군은 분기충천하여 맹공을 퍼부었으나 평양군의 철벽 수비에 번번이 무위로 돌아갔다. 경성군은 전심전력을 다하여 용맹 정진하게 슛을 날렸으나 연해 꼴넷트에 스치기만 하였을 뿐으로 경성

---

26 1918년 무오년에 창단된 평양 최초의 축구단.

군은 석패하고 평양군이 쾌승하였다. 경기가 끝나자 관중들은 대폭발하였다.

"심판놈은 왜놈이냐! 편파 판정이다!"

"오프싸이드가 오프싸이드지 무어란 말이간? 패잔병이 어데서 목소리를 높인단 말이네?"

"이럴 거면 담부터 경평전 하지 마라!"

"후원하는 신문사도 중계하는 라디오 방송국도 경성에 있어서 그간 편파 중계하던 거 다 잊었네? 억울하면 2점 득하였으면 되었을 거 아니갔어? 실력 없어 패하고 목소리만 크면 다 된단 말이간?"

"그만 좀 하쇼! 이러니 일본인들이 조선인은 모이기만 하면 패싸움하고 소요나 일으킨다고 하는 거 아뇨! 조선 망신시키는 짓들 그만하시오. 부끄럽지도 않소?"

조선에 공정한 게 딱 두 개 있는데 하나는 스뽀츠 하나는 입시 성적이다. 그 두 가지에서만 조선인이 일본인을 이길 수 있다. 비록 스뽀츠 규칙이 일본인에 유리하게 바뀌었고 시험을 일본어로 보긴 하지만, 스뽀츠에서는 조선인이 일본인을 이겨도 감옥소에 가지 아니하고 시험에서는 조선인이 1등을 해도 상급 학교 입학을 불허하진 아니한다. 그러니 조선 학생들은 입시에 목을 매고 사람들은 스뽀츠에 열광한다. 그런데 심판이 편파 판정했다는 의심이 드니 어찌 관중들이 투지를 불태우지 않을 수 있을까.

한강에서 뺨 맞고 종로에서 화풀이한다더니 조선인들은 순사에게 뺨 맞고 애먼 데 화풀이한다. 매사 억울하니 심판이 공정하지 않다는 구실로 평소에

쌓인 울분을 폭발시켜 버렸다. 관중석은 멱살 잡고 삿대질하고 욕하고 소리 지르는 아수라장이 되었다. 언니와 나는 손을 꽉 잡고 무사히 빠져나왔다.

"이러면 그렇잖아도 조선인들이 모여서 한마음으로 까라 까라 외치는 거 눈엣가시로 여기는 경찰 당국이 담부턴 경평전 못 하게 할 게 뻔한데, 이럴 바에야 차라리 경성군이 출전 거부해 버리는 게 모양새가 낫겠다."

경성군이 이기면 평양 간다고 했는데 경성군도 지고 평양에 갈 일도 없어졌다. 눈물이 나올 것 같았다.

"얘, 경성군이 졌다고 기찻길이 끊어진다니. 여학생 경평전 1차 대회를 평양에서 하면 되지 않갔니. 기차로 여섯 시간밖에 안 걸리는데 멀다고 하면 안 되갔디 않니."

그 말이 까닭 없이 불안한 마음을 토닥여 주었다. 언니가 가고 나서 둘이 누웠던 요에 혼자 누웠다. 언니의 체취가 남은 베개에 얼굴을 묻었다. 경성의 여학생 축구단 이름을 지었다.

'블루스타킹' 정월 언니에게

언니, 평양에 무사히 도착했다는 답신을 하루 종일 품고 다녔답니다. 언니가 학교에서 동무들에게 둘러싸여 경평전 이야기를 하시며 블루스타킹 구락부를 조직했다고 자랑하시는 편지를요. 저도 학교에 가자마자 커다랗게 벽보를 써 붙였지요.

- 레드비로드 구락부 대 모집. 준족 대환영 -

경성 축구는 역시 붉은색[27]이지요. 서양에서 대관식 할 때 카페트도 붉은색이고요. 레드는 강하고 비로드는 우아하지요. 레드비로드는 레드처럼 강렬한

---

27 경성축구단의 유니폼이 붉은색이었다.

꼴킥과 비로드처럼 유연한 패쓰를 할 거여요.

전학생이 오자마자 벽보를 붙이니 영어 선생님께서 저를 부르셨지요. 선생님은 우리 학교를 졸업하신 선배님이신데, 원래 조선어 선생님이지만 국어[28] 교육이 강화된 후로는 국어를 가르치셨고 미국 유학을 다녀오신 후로는 영어를 가르치고 계시지요. 선생님께서 구여성 부인이 있는, 경성에서 손꼽히는 부호와 결혼하셨을 때 선배들은 "미국에 유학까지 다녀온 신여성이 되어 구여성을 비탄에 빠뜨리게 하실 바에야 차라리 독신으로 남아 후배들과 제자들의 귀감이 되어 주셔요."라고 공개편지를 쓰고 선생님을 배척하기 위해 동맹휴학까지 하였지만 선생님은 결혼을 강행하셨지요. 이미 혼전에 임신을 하셨다는 건 나중에야 알았답니다. 선생님의 부군은 임신한 아내를 두고 요릿집과 까페를 들락거렸답니다. 하기야 구여성 부인을 버린 사내가 신여성 부인이라고 못 버릴 까닭은 없지요.

선생님이 출산 후 몸조리도 제대로 못하시고 복귀하신 첫날, 수업 시간 내내 팔짱을 끼고 선생님을 노려보던 제 짝 승혜가 "제2 부인, 아니 첩 노릇이 아직도 재미나셔요? 따님을 본부인 자식으로 호적에 올릴 염치없는 짓을 하시면서 이혼하시구 혼자 키우실 용기는 아니 나시던가요?" 하고 따진 건 우리 학교의 일대 사건이었답니다.

선생님의 남편은 금광에 투자한다 마작 판에서 돈을 딴다 하면서 돌아다니다가 그 많은 재산을 없

28 일본어.

애고 빈털터리가 되었고, 선생님은 남편에게 위자료를 주고 이혼을 하였답니다. 남편이 아내를 버리는 일은 있을 수 있어도 부인이 남편을 위자료까지 주면서 버리는 일은 조선 천지에 다시 없을 구경거리라 발 빠르게 사람들 입에 올랐지요. 그 후로도 "돈 보고 결혼한 년."이란 뒷담화는 없어지지 않고 오히려 "역시나 돈 떨어지니 이혼한 거 보라지."라는 확신에 찬 악담이 학교 안팎을 돌아다녔어요. 언니, 나는 아직 어린가 봐요. 왜 똑똑한 선생님이 그런 어리석은 결혼을 하시고 왜 비난을 받을 걸 뻔히 알면서 이혼을 하시고 왜 사람들은 지레짐작해서 악소문을 퍼뜨리는지 잘 모르겠어요.

선생님은 축구 구락부로 위장한 비밀 독서회를 조직해서 불온사상을 학습하려는 게 아니냐고 부드럽게 제게 물으셨어요. 말투는 온화하셨지만 내용은 취조였답니다. 저는 기도하듯 두 손을 깍지 꼈어요. 한 손은 저의 손, 한 손은 언니의 손이었지요.

"저는 사상 같은 건 모르구요. '비밀' 독서회를 조직한다면 설마 저렇게 크게 대놓고 벽보를 붙이겠어요?"
"그걸 역이용하려는 게 아니니? 솔직하게 말하려무나. 비밀 독서회를 결사했다가 경찰에 검거되면 처벌이 엄중하다는 건 잘 알지 않니. 아무래두 여학교에서 다른 운동두 아니구 축구 구락부를 만든다는 게 수상해서 그런단다. 햇볕에 뛰다가 토인처럼 걸게[29] 되면 어쩌려구 그러니."

29 별 따위에 빛이 짙어지고 거칠어지다.

"구리무 바르면 백인처럼 백옥 피부 된다 하니 구리무 바르구 뛰면 되지요."
"체육 시간에 체조나 달리기로는 부족하니?"
"체조는 군대 훈련 같아서 싫구 달리기만 하는 건 지루하여요. 그리구 그런 운동들을 할 때보다두 체력을 더 단련하구 싶어서 그러지요. 고대 희랍에서는 튼튼한 어머니가 강인한 자녀를 낳는다 하여 여자들에게두 운동을 강제했다지 않아요."
"그런데 왜 하필 축구니. 여자에게 축구는 어울리지 않는단다."
"다리가 있으면 축구할 수 있구요. 여자가 애두 낳구 총두 쏘는데 축구라구 못 하겠어요. 여자에게 어울리는 운동이 뭐 따루 있나요."
"마라손 같은 힘든 운동은 여자에게 불임을 초래할 수 있구 축구는 여자가 하기에는 몸싸움도 많구 공도 뻥뻥 차는 너무 과격한 운동이니 구기 운동이 하고프면 정구를 하지 그러니. 정구는 생리학적으로 여자의 체질에 맞고 본래 가정의 정원에서 공놀이하던 것에서 유래하여 내용적으로도 가정적이란다. 여자는 남자만큼 힘이 있지도 않고 성격과 골격이 다르니 스뽀츠도 다른 게 자연적이지."
"그렇지만 영국 여자들도 축구를 했고, 요새 미국 여자대학에서두 축구 구락부가 유행이라 하여요. 서양 여자들은 축구로 몸을 단련하는데, 조선 여자는 가벼운 운동만 하면 모체 골격이 작아져서 연약한 자녀를 낳지 않겠어요. 미국인들은 "Man

can do-Woman can do[30]"라며 남자가 할 수 있으면 여자두 할 수 있다구 여자에게 축구를 장려하는데 조선인들은 여자들에게 체조, 정구, 육상 같은 제한된 운동이나 시키니 언제 그들만큼 실력을 기르고 나라가 발전하겠어요?"

"그 말은 틀린 말이다."

"네?"

"관사를 붙여야지. 'A man can do-A woman can do'가 맞는 말이란다. 그리고, '레드비로드'는 조금… 악단 이름 같지 않으니?"

선생님은 장래 진로의 희망과 가입 동기를 포함한 가입 신청서를 제출하는 조건으로 구락부를 승인하셨어요. 역시 ≪세이토≫에 나왔던 말대로 "강력히 요구하는 것은 사실을 낳는 가장 확실한 원인[31]"이지요. 제가 쟁취해 낸 '레드비로드 구락부 승인'이 짜릿했어요. 꼴-인을 할 때도 이만치 짜릿하겠지요.

두고 보아요, 조만간 경성을 가득 메운 빨간 옷 입은 응원단이 큰 소리로 레드비로드를 응원하는 날이 올 터이니. 그때의 구호는 "까라!"가 아니고 멋지게 "오 필승 코리아" 정도는 되겠지요. 평양에도 원정 가서 빨간 맛을 보여 주고야 말 테야요. 언니 말대로 축구는 역시 경평전이 제일 재미스럽고 여자 경평전은 특출나게 재미스럽지 않겠어요? 우리의

---

30 <부드러운 곡선의 약동 미국 여학생들에 축구 유행>, ≪동아일보≫, 1932년 2월 2일.

31 히라쓰가 라이초, <원래 여성은 태양이었다>, ≪세이토≫(어문학사, 2007).

우승기에는 자수가 없을 것이고 뒤풀이는 여자끼리만 안전하고 호기롭게, 자기 잔은 자기 손으로 채우고 술동이를 비워 가며 밤새도록 할 거여요. 해장은 본바닥 냉면으로 하지요.

언니, 우리 끝까지 가요. 전반전, 후반전, 연장전, 승부차기까지.

소화 10년(1935년) 4월 20일
'레드비로드' 경희로부터

정월 언니에게

구락부는 승인받았지만 저는 금세 근원적인 고민에 빠지고 말았답니다. 왜 뽈은 하나인데 선수는 열한 명씩이나 필요한가, 하고 말이어요. 오죽하면 '조선 여자는 남자 두세 명 몫은 충분히 하니 여자 축구는 대여섯 명만 있어도 되지 않을까.' 하는 생각까지 하였겠어요.

다행히 가사 수업이 끝나고 노라가 다가왔어요. 축구하는 건 집에다가도 비밀로 했다 하니 가명을 쓰는 걸 이해해 주셔요. 노라의 가입 신청서를 보고 잠시 아무 말도 할 수 없었어요.

"… 졸업하면 곧바로 결혼하여 현모양처 되겠다고?"

"그러니까 졸업 전에 연애질이랑 도둑질 빼구 다 해 보려구."

"… 네가?"
"아니 왜 다들 내가 현모양처 되겠다면 믿지를 아니하냐구!"
"그야 네가 가사, 재봉, 수예 과목에서 독보적으로 꼴찌를 면치 못하니까…."
"내가 매일 밤마다 취침 전에 얼마나 신실하게 기도하는지 아니? '취미라고는 독서뿐인 성실한 은행원과 결혼하게 해 주시되 그이는 반드시 구습에 물든 시부모와 동거치 아니하는 차남 이하여야 하옵나니, 문화주택에서 저녁마다 피아노를 치고 레코드를 감상하는 단란한 가정을 꾸리게 하여 주소서. 예수님의 이름으로 기도 드렸나이다, 아멘.'이라고 구체적으로 기도하는데! 가정의 화락은 주부의 손맛이 아니라 아지노모토에서 오구, 흰옷 버리고 색 있는 옷 입으면 의복 관리의 개선이 이루어지니 손끝이 엽렵하지[32] 아니하여두 되지. 주부는 아이를 잘 양육하여 학교에 보내구, 가정의 화목과 위생과 영양을 챙기면 되는 거지 그깟 가사 과목 성적이 다 무어라니! 신세대 신가정생활에!"
"… 그런 걸 가사 과목에서 배우는 거 아니니?"
"어차피 요리와 빨래는 행랑어멈이 하고, 양복은 집에서 짓지 아니하여 내 손으로 가사일할 필요가 없지 않니. 내가 가사 과목 실기를 못해서 그렇지 이론은 만점이구 가사, 재봉, 수예 빼고 나면 나머지 과목은 다 잘하는 거 알지 않니? 가사는 손으로 하구 축구는 발로 하니 서로 아무 상관 없지 않니? 너 나랑 축구 할 거 아니니?"

---

32 슬기롭고 민첩하다.

"해야지, 당연히!"

축구를 연애질이나 도둑질과 같은 급으로 놓은 게 떨떠름하긴 했지만 어쨌든 노라가 첫 번째 부원이 되었답니다.

노라는 혜란이를 데려왔어요. 아니, 혜란이 노라를 따라왔지요. 혜란이는 저처럼 시골에서 올라왔는데, 밤마다 향수병에 젖어 기숙사 이불 속에서 베개에 얼굴을 묻고 훌쩍인다 하여요. 혜란은 동급생들보다 한 살 어리고 성격이 여려 잘 울고 얼굴도 귀염성 있게 생겨서 누구든 혜란을 보면 보살펴 주고 싶어 하는데, 같은 방을 쓰는 노라가 특별히 더 그러하지요. 안아 주고 토닥여 주고 팔베개로 재워 주고 이불 속에서 군고구마도 나눠 먹고 과제도 봐 주고 어디든 손잡고 다니고 외출하면 같이 활동사진도 보며 귀애해 주곤 하여요. 혜란은 벌써 노라에게 시집 같은 거 가지 말고 자기랑 살면 안 되냐고 눈물이 그렁그렁해졌지요. 노라는 축구를 하면 밤에 고향 생각 날 틈도 없이 잠들 거라고 호언장담하며 혜란을 꼬여 냈다는데, 제가 보기엔 혜란은 축구엔 별 관심 없고 그저 노라가 이끄는 대로 따라온 것 같아요.

승혜는 제 옆자리에 앉고, 문학소녀여요. 제가 구락부 만들겠다고 이리 뛰고 저리 뛰는 걸 제일 가까이서 지켜보더니 자기가 한 자리 채워 주겠다고 했어요. 늘 파리한 얼굴에 조용하고 말이 없던 아이가 그러는 게 놀랍기만 하였지요. 승혜의 아버지는 구여성 부인인 승혜 어머니와 승혜를 버리고 신여성과 결혼하였다지요. 어딘지 멜랑콜리한 무드가 감도는 승혜는 유명한 작가가 되어 아버지를 모델로 소설을 써서 '문학적 고발'을 하고 싶어 한답니다. 매번 현상문예[33]에 투고하긴 하는데 아직 아무 성과가 없어요.

승혜가 있으면 선생님이 구락부를 불승인하실까 봐 머뭇거리자 승혜는 선생님이 유치하게 제자에게 복수하려고 불승인했다는 말 듣지 아니하시려면 반드시 승인할 수밖에 없을 거라고 저를 안심시켰어요. 승혜는 소재 거리를 찾아 축구를 하겠다고 하였어요. 제가 경평전의 포부를 밝히자 여자가 축구하면 구경거리가 될 뿐이라고 하면서도 아버지에게 '당신 딸이 대낮에 남들 앞에서 이런 짓을 한다.'라는 망신을 줄 수 있다면 축구를 할 거라고 했어요.

승혜는 채윤을 끌어들였어요. 채윤이는 본명이 '정숙'인데 자기는 여배우가 될 거라며 동무들에게 '채윤'으로 불러 달라고 하였어요. 채윤은 휴일마다 활동사진을 보고 와서는 그레타 가르보가 누구랑 결혼설이 났으며 셔리 템플 양이 얼마나 탭댄스를 경쾌하게 추는지 메이 웨스트가 영화 봉급으로 얼마를 받는지 따위를 쉼 없이 조잘대곤 하지요. 채윤은 언니처럼 옷을 과감하게 입어요. 활동사진을 보고 나오면 곧바로 데파트나 양장점에 가서 배우처럼 똑같이 옷을 맞춰 입거든요. 그레타 가르보처럼 햇을 쓰고 파자마에 트렌치코트를 걸치고 경성 거리를 활보하지요.

이런 채윤이 어쩌다 승혜와 친해졌는지 궁금하시지요? 채윤이 승혜가 쓰는 영화소설을 보고 먼저 말을 붙였다고 하여요. 자기를 주연으로 하는 영화 대

---

33 문학 공모전.

본 써 달라고요. 자기는 <수일과 순애>[34]처럼 주인공들이 봉건 질서 속에서 관객과 더불어 눈물을 짜내는 신파적인 조선 영화엔 흥미가 없다며 주·조연 모두 여자가 하고 화려한 드레스도 몇 벌씩 갈아 입을 수 있는 '미국 영화처럼 세련된' 대본을 써 달라고 졸라 댔지요. 채윤은 다리 운동을 해서 마들렌 디트리히 같은 각선미를 가꾸고 싶다고 했어요. 저는 "경평전 때 본 선수들의 '각선미'는 마들렌 디트리히와는 영 딴판이던데….."라는 말은 굳이 하지 않았답니다.

권옥은 장래 희망과 지원 동기를 적지 않은 백지 지원서를 들고 찾아왔어요. 저는 망설였어요. 권옥이야말로 축구 구락부를 비밀 독서회로 바꿔 버릴 수 있는 동무였거든요. 권옥네는 애국 투사 가문이에요. 늘 아버지나 이모나 사촌이 돌아가며 투옥되어 있지요. 그런 집안이니 권옥도 열렬한 애국자가 될 수밖에요.

권옥은 공부도 체조도 잘하고 영어와 일본어도 유창하고 한문도 필담이 가능한 수준이어요. 뭐든지 잘하면서 가사, 재봉, 수예 시간에는 대놓고 산술이나 역사, 지리 같은 다른 과목을 공부하여요. 권옥은 엄마처럼 살기 싫댔어요. 엄마의 마음에도 독립에 대한 투지가 끓어올랐지만 집안 어른들은 '옥바라지도 애국'이라면서 엄마더러 집안을 건사하고 사식을 차입하라 종용해 매양 동동거리게 했대요. 그나마 맡기는 일은 폭탄, 밀지, 군자금 등을 숨겨 오가게 하는 것인데 여자에겐 감시가 덜하다나요. 권옥은 어릴 때 엄마 손을 잡고 폭탄을 운반한 적이 있

---

34 1931년 개봉한 영화.

댔어요. 아이 달린 아낙에겐 검문이 허술하다 해서요. 그때 엄마 손은 축축했지만 표정은 결연했대요. 엄마는 임무를 완수하고 나서야 어린 권옥을 붙들고 울었댔어요.

권옥은 남자 친척들처럼 직접 총을 쏘고 폭탄을 던지고 싶어 했어요. 졸업하면 국경을 건너 입대할 거랬어요. '체력은 국력'이라며 축구로 체력을 증진코자 한다고 했어요. 제가 선생님께 했던 "여자가 애를 낳을 수 있다면 총도 들 수 있고 축구도 할 수 있어요."라는 말은 사실 권옥의 말이었어요. 저는 권옥의 백지 지원서 내용을 제 것과 같이 '장래의 희망은 아직은 없고 지원 동기는 장래의 희망을 만들기 위함'이라고 수정했어요. 지금은, 하고픈 것보다 할 수 있는 게 중요한 시대지 않아요.

권옥이 백지로 지원서를 낸 이유도, 제가 굳이 그 빈칸을 채워 버린 이유도 다들 알고 있답니다. 어떤 집단이 단합을 유지하려면 공동의 적 아니면 비밀이 필요하지요. 권옥은 우리들의 공유된 비밀이어요.

은조와 영선은 권옥의 소개로 왔어요. 셋이 항시 붙어 다닌답니다. 성적으론 셋이 1, 2, 3등을 다투는데 서로 질투는 아니 한대요. 동무라기보다는 동지 같은 느낌이어요. 권옥이 분개할 때 영선은 냉정하고 은조는 중재하여요. 권옥이 불이라면 영선은 얼음이고 은조는 데운 물이여요.

은조는 장차 '조선의 제1호 이혼 전문 여성 변호사'가 되고 싶어 하여요. 학대받는 민며느리의 재산 분할 청구 소송, 남편의 불륜으로 이혼당하는 구여성 부인의 부양료 청구 소송, 혼인 연령 미달로 혼인

신고치 못하다가 버림받은 조혼한 부인의 손해배상 청구 소송 건이 생기면 조선의 억울한 여자들을 대리하여 법정에서 싸워 주겠다 하여요. 노라가 꿈꾸는 스위트홈에서 자란 은조가 왜 그런 데 관심을 가지게 되었는지는 물어도 답이 없어요. 아, 그리고 권옥이 혹시 재판을 받게 되면 심문 과정에서 고문당하지 못하게 변호해 주겠다고도 하였어요.

영선은 의사가 되겠대요. 영선의 언니는 미술 공부를 하는데 언니가 모사한 인체해부도에 반했다고 하니, 이 아이 변태 같아요. 인체 근육이 수축하고 이완되는 모양새가 황홀하다며, 직접 자기 신체를 단련하면서 자기 몸에서 근육과 골격을 발달시키고 움직임을 느껴 보고 싶대요. 우리가 뛰다가 넘어지면 자기가 다 치료해 주겠다는데 치료가 아니라 해부학 실습이 될 것 같아요. 영선은 솔직히, 조선에서 여자가 전문 기술 가지고 돈 잘 벌 수 있는 직업이 의사라서 여의전에 진학하려 한대요. 이인국 박사[35] 처럼 솜씨 좋고 돈 잘 버는 의사가 되고 싶다는 생각이 너무 속물적이라서 부끄러운지 권옥이 부상당하면 치료해 주겠다는데… 은조와 영선의 마음은 도대체 우정인지 저주인지… 아니 권옥이 무사한 게 제일 아니겠어요?

보나는 권옥과는 매일같이 토론을 하지요. '싸우다 정든다'라는 게 참말이라면, 저 둘은 정들다 못해 살림을 차리겠어요. 보나는 일본군보다 열세인 무력

---

35 시대 변화에 따라 친일, 친소, 친미를 하는 기회주의자를 풍자적으로 그린 1962년 소설 <꺼삐딴 리>의 주인공.

으로 싸우는 건 집단 자살이다, 총 몇 자루로는 이길 수 없으니 실력부터 길러야 한다고 하지요. 그러면 권옥이 '실력'이란 것이 무엇이냐, 조선인들이 전부 다 대학 졸업까지 하여야 실력이 완성되냐, 그다음엔 대체 무엇을 할 것이냐, 하며 맞받아 둘이 격론을 벌이곤 하여요.

보나는 고향에선 유명인사라지요. 방학에 귀향할 때마다 브나로드 교재를 잔뜩 싸 들고 가서 도청의 인가를 받고 주재소의 허가를 받아 가며 한글 강습회를 열고, 그래도 별 트집을 다 잡혀 금지당하면 예배당을 빌려 성경 학교인 척 산술을 가르치니까요. 집집마다 돌아다니며 변소 문을 열어젖히고 부엌을 헤집으며 위생을 설파하고, 조혼하지 말고 첩 두지 말고 딸들도 가르치라고 계몽을 하며 집성촌을 들쑤신다 하여요. 이러니 방학이 끝나고선 늘 몸이 휘져서[36] 돌아오지요.

집안 어르신들은 계집아이를 경성의 학교까지 보내 놓았으니 여류 명사가 되어 돈푼깨나 벌어다 줄 걸로 기대하신다지만은, 보나는 독신으로 살며 일생을 여성운동과 농촌계몽에 이바지하겠다고 맹세하였어요. 여자 중에 드물게 교육받은 '특권'을 일신의 안정보다는 민족의 부강을 위해 바쳐야 한다면서요. 이번 방학에는 동네 여자아이들과 축구를 하며 여자도 축구할 수 있고 뭐든 할 수 있다고 보여 주려 한다는데, 동리를 얼마나 뒤집어 놓을지 궁금할 지경이랍니다.

---

36 시달린 끝에 기운이 쇠하다.

막순이는 직업관이 확실하지요. 돈이 좋아 은행원이 되겠다 하여요. 아비가 미두(米豆)[37]하다가 패물 팔아먹고 금광에 투자했다가 집 날리고, 만회하려고 마작에 빠졌다가 막순을 기생으로 팔아넘기려 하더니 종내는 모루히네[38]에 중독되어 죽었다지요.

오갈 데 없는 막순을 선생님들이 도와 어느 독지가에게서 장학금 받아 학교 다니게 해 주었지요. 막순은 방학에도 기숙사에 혼자 남아 있답니다. 축구를 하겠다는 동기도 "학교에 남아 마땅히 할 일이 없으니 시간이나 때우려고."였답니다.

막순이는 매양 "돈! 그놈의 돈! 조선 사람이 돈밖에 추구할 게 무엇이 있겠느냐! 독립도 사랑도 다 허상이다! 오직 돈만이 손에 잡힌다!"라고 부르짖지요. 권옥에게도 군자금이 있어야 총알이라도 산다고, 그 좋은 머리로 돈이나 왕창 벌 일이지 대체 왜 직접 총을 드냐고 몰아붙였지요. 권옥은 "막순이 너는 말로 사람 잡는 저격수다." 하며 헤실대기만 했어요. 권옥은 참 많이 웃어요. 저렇게 잘 웃는 애가 왜 굳이 험한 길 가려는지 모르겠어요.

권옥이 웃어 넘기니까 막순이는 보나에게 시비를 걸더군요. 돈만 있으면 네가 훈계질하지 않아도 변소와 부엌을 신식으로 바꾸어 자연히 위생적이 되고 네 강습회 나가는 대신 월사금 내고 학교 다닐 수 있다며, 보나더러 돈 대신 손으로 궁상 떠는 이상주의자라고 했어요. 보나가 발끈하자 "경성에서 학

---

37 현물 거래 없이 이루어지는 투기성 쌀 거래.

38 모르핀.

교 다니는 네가 농촌에서 일평생 농사만 지은 농민들을 계몽한다고 나대는 건 쁘띠 부르주아적 특권의식 아니냐."라고 쏘아붙였고요. 보나도 지지 않고 "돈, 돈 거리면서 사상 서적 숨겨 놓고 읽는 건 위선자의 행동 아니냐."라고 받아쳤어요. 노라도 싸움을 말린답시고 "어차피 결혼하면 은행원이든 뭐든 퇴직해야지 뭐."라고 하였다가 막순에게 아픈 데를 찔렸지요. '신가정'이래 봤자 아내는 가정에 예속된 인형일 뿐이고 이혼해도 재산 반분은커녕 맨몸으로 쫓겨난다고요. 옆에선 은조가 조용히 고개를 끄덕거리고 있었어요. 막순이 모두와 싸우긴 하지만 하는 말은 뒷담화도 틀린 말도 아니고 무엇보다 열한 명을 채워야 하여 막순의 지원서를 받았어요.

남연은 우리들 중에 제일로 건실하답니다. 교원이 되어 번듯하게 제 몫 하며 살고 싶다 하여요. 결혼은 해도 그만, 안 해도 그만이라지요. 오빠와 남동생이 학교 축구 선수를 하니까 자기도 하고 싶다 하였어요. 남연은 오빠와 동생의 훈련 일지를 필사하여 가져왔답니다. 이 노트가 레드비로드 구락부의 보물 1호지요.

남연은 그저 성실하고 평범하게만 살고 싶다 하여요. 권옥이나 보나처럼 민족을 위해 투신하기도 무섭고, 막순처럼 돈이 욕심나지도 않고 채윤이나 승혜 같은 재주도 없고 은조나 영선처럼 우등생도 아니라면서요.

막순이 하나씩 쏘는 저격수라면 남연은 몽땅 다 잡는 폭탄 투척범이지요. 일자리는 없고 경성 집값은 계속 오르기만 하니 결혼은 자연히 늦어지고 일본이 중국까지 집어삼키면 독립은 요원해지고 젊은 이들이 경성으로 떠나가니 농촌계몽도 점점 필요치 않게 될 거라는 허무주의자여요. 남연은 오빠, 남동생과의 차별은 못 견디면서 일본인과의 차별은 참자고 하는 자신이 우습다고 진단 내렸지요.

이런 애들을 운동장에 모아 놓으니 어떠하였겠어요? 은조가 "우리끼리, 조선인끼리 싸워서 무엇 하겠니."라고 타이르자 막순이 "좋은 게 좋은 거니 싸우지 말자는 적당주의는 강자들의 현상 유지 책략이지."라며 빈정댔지요. 우는 애 떡 하나 주고 싸우는 애 뽈 하나 주라는 말이 있지요. 저는 옆구리에 뽈을 끼고 있었어요. 지원서를 받은 선생님께서 말없이 구락부에 주고 가신 선물이었지요.

언니, 레드비로드 구락부를 소개하니 언니가 경평전 때 평양 선수들을 한 명 한 명 소개해 주시던 모습이 떠올라요. 그때 그 선수들 중 몇 명은 잊었지만 언니의 진지하고도 들떴던 목소리와 선수들을 가리키던 손끝과 제게 동의를 구하듯 돌아보던 모습과 응원하느라 크게 벌렸던 입술과 그 순간의 공기는 또렷하여요. 언니, 블루스타킹 구락부를 소개하여 주셔요. 당시 언니의 눈빛과 손짓과 목소리로 그 편지를 읽게 될 거여요.

이제 저는 운동장 가운데로 뽈을 굴리고 삐긴을 선언하여야 하므로 이만 줄입니다.

소화 10년(1935년) 4월 24일
운동장 한가운데서, 경희

소화 10년(1935년) 4월 24일

꼴포스트 삼아 세워 둔 장대 사이에서 나는 고만 존재론적 고민에 빠지고 말았다. 남연이 가져온 훈련 일지를 교본 삼아 무릎을 굽힌 엉거주춤한 자세로 손을 앞으로 모아 뽈을 받아 낼 태세를 갖추고 열심히 좌우로 왔다 갔다 게걸음을 하느라 허벅지가 땅기는데 뽈이 문전까지 오질 않는다. 나는 누구고 여긴 어디길래 이렇게 의미 없는 움직임만 반복하는가. 분명히 양발 사이에 뽈을 두고 발 안쪽으로 드리블을 하라고 남연의 '교본'에 적혀 있었지만 동무들은 막상 뽈이 자기 앞에 오면 발끝으로 툭 건드려서 두어 발짝 앞으로 굴릴 뿐이고, 그러면 이내 아홉 명이 공을 좇아 우르르 무리 지어 달려가기 바빴다. 훈련 없는 축구와 준비 없는 독립이 이렇게나 엉망진창이다. 이렇게 보면 먼저 실력을 기르자는 보나의 노선이 맞는 것 같지만 빠른 달리기로 뽈을 따라잡는 권옥을 보면 실력이고 연습이고 간에 어쨌든 싸워서 꼴인을 하면 되는 거 아니냐는 권옥의 노선도 그럴듯하였다.

뽈은 둥글고 콘트롤할 실력들은 없다 보니 뜀박질 빠른 권옥, 은조, 영선이 그나마 뽈에 붙어 셋이서 패쓰 비슷한 거라도 하고 있었다. 그래 봐야 권옥이 아무 데로나 뽈을 차면 은조나 영선이 뒤따라가서 발끝에 뽈을 대 보는 수준이었다. 뽈이 마구 구르는 바람에 열 명이 운동장 구석구석을 누비고 있었다. 어느새 학생들이 창문에 붙어 축구라고 하기도 무엇한 무언가를 구경하고 있었다. 나도 어느새 관중의 일원이 되어 구경하다가 문득 깨달았다. 열 맞춰서 우향우 좌향좌나 하는 체조, 트랙을 따라서만 달리는 육상, 코트 안에서 뛰는 정구만 해 봤지 운동장 전체를 점유하는 운동은 처음이었다.

"더 뛰어! 그렇지! 잘한다!"

운동장에서 그렇게 목청껏 소리쳐 본 것도 처음이었다. 뽈은 이미 저만치 굴러가 있는데 마음은 급하고 몸은 느리니 발부터 뻗다가 의도치 않게 서로 몸을 부딪치고 발로 차는 와중에 "까라!"가 아닌 "미안해.", "괜찮아." 소리가 여기저기서 튀어나왔다. 그럴 때마다 흐름이 뚝뚝 끊겼다. 권옥은 힘껏 달리고 많이 충돌했다. 권옥의 다리에 걸려 넘어진 혜란이 훌쩍이기 시작했다. 다들 모여들었다. 제일 먼저 달려온 사람은 영선이었다.

"가벼운 타박상이네."

달래 준 애는 노라였다.

"많이 아파? 응? 왜 울어? 네가 우니까 나도 눈물 나잖니."

혜란은 눈물을 참으며 중얼거렸다.

"내내 뛰었는데, 뽈 한 번을 못 차 보니까…."

이대로면 잘하는 권옥만 재미스럽고 '뽈 한 번을 못 차 보는' 혜란은 흥미를 잃고 탈퇴할 게 자명하였다. 혜란부터 한 명씩 꼴대까지 뽈을 몰고 와서 꼴인해 보기로 하였다. 혜란은 혹시나 뽈을 놓칠세라 살금살금 한 발 한 발 귀하게 모셔 와서는 뽈을 꼴문 앞에 놓더니 가만히 멈췄다가 툭 찼다.

"잘했어!"
"그거야! 그렇게 하면 돼!"

우리는 혜란을 껴안고 얼싸안고 등을 두드리며 방방 뛰었다. 경평전 결승꼴 못지 아니한 레드비로드의 첫 꼴이었으니까. 한 명씩 혼자 뽈을 몰고 운동장 끝에서 끝까지 달려 꼴킥을 하였다. 드리블이라기보다는 '구르는 뽈 따라가기', 꼴킥보다는 '꼴문 앞에서 발로 공 굴리기'와 같은 꼴이긴 하였지만 우리는 저마다 "뛰어!", "잘하고 있어!" 큰 소리로 마음껏 응원을 발산하였다. 처음으로 혼자 온전히 뽈을 다루며 운동장 한가운데를 달려 1점 1점 도합 열한 점을 성취한 레드비로드는 방방 뛰고 서로의 이름을 크게 연호했다. 경평전의 선수와 관중들처럼. 창문으로 구경하던 동무들도 창문을 열고 함께 환호했다. 엉성하고 우스운데 이상하게 감동스러웠다.

나는 이 모든 광경을 꼴포스트에서 지켜보고 이렇게 일기장에 남기고 있다. 나는 조선에서 제일가는 기자가 될 터이다. 조선에서 제일가는 기자가 되어 스뽀츠 기사를 쓸 터이다. 축구하는 여자들을 쓸 터이다. 그리고 내 이름 석 자를 신문에 박아 넣을 것이다.

정월 언니에게

언니의 질타는 겸허히 받았어요. 블루스타킹과 경기하려면 맹연습을 하여야지 그렇게 애들 장난처럼 하면 되겠냐고요. 축구는 전쟁이지 공놀이가 아니라고, 정신 무장을 하고 과학적으로 연습하라고 하셨지요.

공을 따라다니느라 헉헉댔던 부원들은 제1 문제가 체력이라는 데 다들 동의하였답니다. 처음 운동장을 달릴 때는 멋모르고 체력 좋은 권옥을 따라 숨차도록 빠르게 달리다가 한 바퀴를 돌고 주저앉아 버렸어요. 언니가 계셨다면 일으켜 세워 준 다음 더 뛰라고 했겠지요. 툭툭 털고 일어나 뛰다가 걷다가 했어요. 바람이 휙휙 귓가를 지나고 발바닥이 화끈하고 종아리가 얼얼하고 심장이 터질 듯한데, 권옥은 속도를 줄이지 않았어요. 세 바퀴째 돌고 나서야 멈췄지요. 노라는 숨을 몰아쉬면서 사이사이에 "니미럴, 시부럴, 육시럴." 욕을 해 댔어요. 승혜는 "'니미럴' 말고 '니비럴'이라고 하는 게 낫지 아니하겠니? 욕을 할 거면 어머니 욕보단 아버지 욕을 해야지."라고 교정해 주었고요. 권옥은 갑자기 소리 내어 웃었어요.

"아버지가 감옥에서 욕하는 거 상상해 버렸잖아. 불쌍한 환자 아님 결연한 투사만 상상하다가. 아버지도 가끔은 '시발, 아파 뒤지겠네.'라고 욕도 하시겠지?"

그러고 보면 권옥은 감옥에 들락날락하는 아버지와 함께 보낸 시간이 별로 없어서 같이 있으면 영 어색하다고 했지요.

저는 일어나서 다시 달리기 시작했어요. 처음엔 한 바퀴, 그 다음엔 세 바퀴. 달릴수록 체력이 좋아지는 느낌이 들었어요. 얼굴이 발갛게 달아오르고 심장이 튀어나올 듯 뛸 때까지 달리면서 언니를 생각하여요. 아니, 하지 아니하여요. 언니를 향한 감정은 떠올라도 만날 수 없는 그리움은 생각지 못할 만큼 달리고 또 달려요. 고무신을 벗어 던지고 맨발로 달려요. 언니, 왜 달리면 입에서 단내가 나고 어째서 달님은 벚꽃처럼 달고 왜 언니의 입술을 떠올리면 내 몸과 마음은 달아오를까요.

달리기를 멈추고 보니 부원들은 힘들다는 핑계로 운동장 흙바닥에 아무렇게나 널브러져 있었어요. 옷에 흙을 묻히고 팔다리를 뻗은 채로요. 채윤은 새초롬하게 땀도 안 나고 몸의 선도 예뻐진다는 체조를 하고 있었고요. 영선은 부원들 마싸지를 해 주고 있었어요.

조금 쉰 다음에는 남연의 훈련 일지에 나온 대로 운동장에 사다리를 그리고 무릎을 직각으로 높이 올려 뛰며 칸칸이 옆으로 이동하는 훈련을 하려고 했는데… 예상치 못한 방해물이 있었어요. 언니도 짐작하실 거여요. 두 칸 뛰어 본 부원들이 줄줄이 훈련을 포기했지요.

"다리를 올리니까 사루마다[39]가 보일 것 같아."

울상을 지은 건 역시 채윤이었지요. 뛰지 아니하려고 별 핑계를 다 댄다 싶어 반박했어요.

"사루마다 보이는 게 걱정이면 상대 군에게 까여 두 슛을 할 기회가 와두 치마부터 여밀래?"
"너두 해 보든가."

해 보고 나니 의복 개량을 하지 않고는 방도가 없겠다는 결론에 다다랐어요.

"이 기회에 우리두 유니폼을 만들자. 치마를 입으니 자락이 다리에 감기기두 하구 조금만 동작을 크게 하여두 사루마다가 보이니 넘어질까 무서워 어데 제대로 뛰기나 하겠니? 남자들처럼 다리 번쩍 들구 슛할 수 있겠어? 바지를 입으문 우리두 남자들처럼 뛸 수 있어."

다 맞는 말인데 가사 점수 최하위인 노라가 말하니 어쩨 불안했어요. 불길한 예상은 틀린 적이 없다더니 노라가 바지 유니폼을 만들겠다고 나섰어요. '레드비로드'니까 비로드로 꽃 장식을 해야 한다면

---

39 속바지.

서요. 채윤이 펄쩍 뛰며 말렸어요.

"악단도 아니고 무슨 차림새가 그래. 내가 치마를 뜯어서 바지로 개조할게. 길이는,"

제가 단호하게 말을 끊었어요.

"무릎 위로 잘라."

이럴 땐 채윤이 귀하지요. 이미 파자마 바지를 해 입어 본 적 있던 채윤이 옷본을 그렸어요.

"너 근데 아무리 트렌치코트를 걸쳤다지만 파자마 입고 본정통을 백주 대낮에 활보한 거 집에서 알면 경을 치겠는데?"

"집에다가는 여자는 잘 때도 단정해야 한다는 핑계를 대고 용돈 받아 내서 만들었지."

졸업하면 군복 바지를 입을 거라는 권옥은 바지에 열렬히 찬성했고, 보나도 일본에선 '몸빼'라는 일 바지를 입는다며 일하기 편한 바지를 농촌에 보급하여야 한다며 동조했고, 승혜는 속바지를 밖에 입은 꼴이라며 질색하다가 그 꼴을 아비에게 보여 주고 싶다고 했어요. 의외로 은조가 자기는 치마도 편하고 바지를 만들 거면 발목까지 와야 한다고 우겨 대었어요. 그러고 보니 은조는 무릎 아래 한 치인 교복 치마도 한참을 더 길게 하여 입었지요. 운동할 때 편한 게 제일이지 네 취향이 문제가 아니라고 남연이 설득하자 은조는 오래 망설이다가 치마를 걷어 올렸어요. 드러난 다리엔 화상 흉터가 있었지요.

은조의 큰어머니는 시집살이와 남편의 폭력에 시달리다가 집에 불을 질렀대요. 은조의 화상 흉터는 이때 생긴 거지요. 울며 친정을 찾아가면 야멸치게 자꾸 시댁으로 되돌려 보내니까 돌아갈 시댁이 없어지면 친정에서 받아 주겠다 싶어 방화를 했대요. 어린 은조를 무릎에 앉히고 머리도 땋아 주며 귀애하던 큰어머니는 사형을 당했지요. 집만 태우려던 게 불이 커져서 큰어머니의 시부모, 그러니까 은조의 조부모가 돌아가셨거든요. 큰아버지는 새장가를 들고 은조의 아버지는 형님과 의절했다지요.

"몸에 흉 하나 없는 사람이 뉘 있니?"

막순은 치마를 걷어 아비에게 맞아 생긴 흉터를 보여 주고 나도 굵고 흰 다리를 내보였답니다.

"다리야 잘 뛰고 잘 차고 잘 까면 그만이지 생김새가 무슨 상관이람."

언니, 제 다리는 살이 빠지고 근육이 붙어 날로 단단해져 가요. 하루에 백 번씩 다리가 직각이 되도록 앉았다 일어나며 단련된 허벅지를 만져 보아요. 영선이 말로는 근육이 미세하게 찢어졌다가 붙으면서 커진다 하지요. 언니, 언니의 답장이 하루 늦어지면 내 심장에 미세하게 금이 가고 답장을 읽으면 벌어졌던 틈이 다시 붙어요. 그래서 요즘 달릴 때 숨이 덜 차나 보아요. 날로 단단해지는 팔다리로 언니를 꽉 안고 싶어요. 언니가 내 잘록해진 허리에 팔을 두르고 우리는 아무 데나 풀썩 누워요. 점점 근육이 선명해지고 목침처럼 딴딴해지는 제 배에 언니가 머리를 베고 잠들었으면 좋겠어요. 언니와 다리를 덩굴처럼 단단하게 얽고 싶어요. 다리에 힘을 주어, 절대 풀리지 않게요.

"그럼 나도 반바지로 주."

은조가 오래 고민하다 결론을 냈지요. 저도 언니를 그리던 상상에서 빠져나왔어요. 언젠가 블루스타킹 유니폼을 입은 언니를 보고 싶어요.

노라가 재봉질 하겠다는 걸 합심해서 뜯어 말리고 채윤과 혜란이 치마를 바지로 개조하는 사이에 우리는 신발을 고민하기 시작했어요.

"축구화가 얼만 줄이나 아니. 쌀 한 가마니 값이다. 우리 집에서 오빠랑 남동생한테는 무리해서 축구화를 사 줬지만 나한테까진 안 사 줄걸."

남연이 역시나 불가능하다는 결론을 내렸어요. 제가 해결책을 냈고요.

"역시 경평전을 해서 흥행을 시켜 후원받아 축구화를 사야겠어."
"축구는 뽈 하나만 있으면 되니까 조선인은 글러브랑 빳트 일습이 필요한 야구 말구 축구를 해야 한다드니, 축구도 축구화에 유니폼에 챙길 게 왜 이리 많아. 이럴 줄 알았으면 마라손을 할걸 그랬지."
"달리기할 때 제일 먼저 나가떨어진 막순이 네가?"

결국 축구화 대신 질긴 고무신을 발에 꼭 맞게 신고 뛰기로 하였지요.

언니, 은조와 영선이 패쓰 연습하는 걸 보았어요. 한 명이 뽈을 상대에게 던져 주면, 상대는 발 안쪽을 써 바깥쪽으로 굴려 보내지요. 가끔 디딤 발을 삐뚜름하게 디뎌 뽈이 옆으로 굴러가는 통에 패쓰보다 뽈 주우러 가는 시간이 더 길긴 하지만요. 패쓰할 때는 공을 보지 말고 패쓰할 사람을 봐야 한다는데 언니, 저는 언니를 보지 않고 언니를 보고 있어요. 경평전 선수들에 언니의 얼굴을 붙여 보았듯이 은조와 영선의 모습에 저와 언니를 겹쳐 보아요. 경성에서 평양까지 롱패쓰를 해요. 멀리까지 뽈을, 마음을 보내요.

막순과 승혜는 담이 무너져라 뽈을 뻥뻥 차 댄답니다. 뽈이 담장에 맞고 튕겨져 나오면 가슴이든 허벅지든 갖다 대어 뽈을 받아 낸답니다. 남들이 보면 계란으로 바위 치기도 아니고 왜 가만히 있는 튼튼한 담장에 뽈을 차 대나 할 거여요. 경평전 선수들이 뽈을 왜대가리로 여기고 차듯이 막순과 승혜에게는 저 담장이 갑갑한 조선이고 우리의 장래고 억압받는 여성이지요. 울분을 담아 힘껏 뽈을 차면, 튕겨 나오는 그 뽈은 그네들을 다치게 하지 못하고 오히려 단련케 하여요.

남연은 운동장에 장애물을 세워 두고 그 사이로 뽈을 몰아 가며 조용히 드리블을 하여요. 장애물이 늘어날 때마다 각오를 새로이 다지며 돌파하지요. 뽈이 장애물을 건드려도 울 듯한 얼굴로 울지 아니하고 무사히 장애물 사이를 통과해도 웃을 듯 웃지 아니하여요. 남연의 장애물이 무엇인지 알 것도 같고 모를 것도 같아요.

채윤은 얼굴 걸어지면 안 된다고 양산을 들고 달리는 가관을 연출하더니 요즘은 달거리 중이라며 연습을 쉬고 있어요. 어차피 관중들이 여자 선수에게 원하는 건 실력이 아니라 명랑한 육체미라며, 진정으로 경평전을 흥행시키고 후원도 받으려면 잘 뛰는 선수보다 여배우 출신 선수가 더 필요할 거라는데 반박을 못 하니 분해 죽겠어요.

노라와 혜란은 서로 수비하는 연습을 한다는데, 연습인지 공을 사이에 둔 연애인지 모르겠어요. 까지는 않고 서로 바짝 붙어서 뽈을 사이에 두고 서로 얼굴 보다가 풋 웃어 버려요. 그러다가 꼴인을 하면 관중석에 큰절을 올리자느니 하는 모의를 둘이 진지하게 하고 있고요. 그래도 얘네가 있으면 아무리 힘든 연습 중에라도 어떻게든 웃게 되어요.

저는 꼴문 앞에 서 있답니다. 최전방 공격수 권옥과 마주하여요. 권옥은 언니랑 같은 포지션이지요. 처음엔 뽈이 날아오면 무서웠어요. 권옥도 혹시나 절 다치게 할까 봐 범축이나 실축만 연발하였고요.

"독립운동, 무섭지 않아? 총탄에 부상당하거나 형무소에서 고문당하면…"
"무섭지."
"어떻게 무섬증을 극복해?"
"은조랑 영선이 구해 준댔으니까. 그러니까 나는 그 애들을 믿고 그 애들이 부당함을 겪지 아니하게, 차별당하지 아니하게, 마음껏 웃으며 살 수 있게 조국을 독립시켜야지, 그 생각만 해."
"그럼 나를 믿고 뽈을 차. 수비수들이 다 놓친다 해도 꼴키퍼는 최후까지 수문장 몫을 다해야 하니까 내가 네 뽈을 받아 볼게."

권옥이 찬 뽈이 곡선을 그리며 날아 꼴인하려 할 때에 저는 팔을 뻗어 펄쩍 뛰고 몸을 날려 받아 냈지요.

점심시간에 실컷 연습하고 나니 옷과 두발이 땀에 절어 피부에 달라붙고 몸에 열이 올라 불유쾌한 땀 냄새가 났어요. 향수로도 가려지지 않아 선생님께 훈계를 들었지요.

"여학생이 꼴이 그게 무어냐. 단정치 못하게. 늘 청신한 몸가짐과 정신을 유지해야지."

경평전 때 땀에 젖은 남자 선수들은 야성미니 열정이니 온갖 말로 수식하여 주더니 왜 여자들은 운동할 때에도 보송보송하니 청쾌해야 할까요. 운동하는 동안 땀을 아니 흘릴 수도 없고 남학생들처럼 웃통 벗어 등목하고 냉수에 머리 감아 청결을 도모할 수도 없는데 대체 어쩌란 걸까요. 그 와중에 채윤은 얼른 비누로 세수한 다음 희고 고운 살결이 거칠어질까 봐 구리무를 찍어 바르고 있었지요. 저는 홧김에 선언하였어요.

"누가 나 머리 더 짧게 잘라 주. 때두 덜 끼구 냄새두 덜 나구 위생에두 좋구 운동할 때 거추장스럽지 아니할 테구."

"지금두 단발이라 더 짧게 자르면 사내애 머리가 되구 말 터인데, 그러면 여성으로서의 매력이 사라지잖니."

"관계치 아니하니 그냥 잘라. 그런 노예적 매력은 필요치 않으니까."

다투기만 하는데 노라가 썩 나섰어요.

"그럼 나두 자르자. 졸업 전에 해 볼 수 있는 머리는 다 해 봐야지."

역시 노라는 도전 정신이 출중하여요. 퍼머넨트,

히사시가미[40], 트레머리[41] 다 해 보았으니 숏트컷트도 해 보겠다고 했어요. 그깟 머리카락, 금방 기르면 된다면서요. 혜란이 면경과 가위를 들고 왔어요. 노라는 혜란을 믿는다며 원하는 대로 자르라 하였어요. 다들 숨을 죽이고 노라의 머리카락이 숭덩숭덩 잘려 바닥에 오소소 떨어지는 모습을 구경하였어요. 혜란이 집중하느라 노라의 목덜미에 바짝 붙어 서자 보리밭에 바람 불듯 노라의 머리카락이 혜란의 숨결에 흔들렸어요. 목덜미에 붙은 머리카락을 쓸어 내는 손길이 애틋하였지요. 혜란은 노라의 머리카락을 한 올도 남김없이 쓸어 담아 포켓트에 간직하였어요.

혜란은 제게 이만하면 되었다 싶을 때쯤 그만 자르라고 말하랬지만 차마 대면할 용기가 부족하여 알아서 자르라 하고 눈을 감았지요. 경성에 올라왔던 날 댕기 머리를 잘라 단발을 하며 이보다 더 짧아질 일이 있을까 했는데 이렇게 되네요. 이윽고 귓가에 서걱이던 가위질 소리가 멈추어 눈을 떴더니 댄디 보이가 아니라 시골에서 막 상경한 더벅머리 소년이 거울 속에 있었어요. 제가 사내로 태어났다면 이런 모습이었겠지요.

저 다음으로 뜻밖에도 채윤이 칼단발을 주문했답니다. 가르보 햇에 잘 어울릴 것 같다면서요. 본정통을 휩쓰는 멋쟁이 채윤이 인정할 정도면 혜란도 미용에 소질이 있다는 얘기지요. 혜란은 두 명의 머리

---

40 앞머리를 볼록하게 빗어 올리는 스타일.

41 땋아 내린 긴 머리를 뒤통수 둘레로 틀어 올려붙인 스타일.

를 잘라 보고 자신감이 붙었는지 호쾌하고도 섬세하게 가위질을 시작했답니다. 채윤은 농담처럼 자기 머린 계속 혜란에게 맡기겠다 하였지요. 완성된 채윤의 머리를 보고 다들 찬탄하였어요. 저는 깨달았고요. 역시 단발의 완성은 얼굴이라는 걸요.

혜란은 가위를 노라의 머리카락과 함께 두었지요. 졸업하면 일본에 가서 미용 기술을 배워 '살롱 드 헬렌'을 차리고 평생 노라의 머리를 다듬어 줄 거래요. 그 눈빛이 마치 제가 경평전을, 언니를 처음 봤을 때의 눈빛 같았어요. 채윤은 거기다 대고 자기는 미국 가서 영화도 찍고 양재도 배워 올 거라 했고요.

언니, 봉투에 제 머리카락을 조금 담아 보내요. 간직하여 주셔요.

소화 10년(1935년) 4월 30일
경희로부터

추신. 제게도 언니의 머리카락을 한 올 보내 주셔요.

소화 10년(1935년) 5월 10일

매일 개인기 연습만 하기 지겨워서 소(小)께임을 제안하였다. 꼴대를 하나로 정하고 꼴키퍼 없이 다섯 명씩 한 팀을 만들었는데 나는 깍두기였다. 권옥의 팀에는 은조, 영선, 승혜, 노라가 붙었고 우리 쪽에는 보나, 남연, 막순, 채윤, 혜란이 합세하였다.

나는, 언젠가 언니의 슛을 막아야 할 터이다. 언니와 마주 서서. 언니의 머리카락을 승리의 부적으로 품고. 이겨도 져도 좋다는 친선 경기에서. 그래도 레드비로드가 이기면 좋겠지. 언니는 분을 내겠지만 승부욕에 불타 설욕을 다짐하며 한 번 더, 또 한 번 더 그렇게 경평전처럼 정기전을 하자 하겠지. 나한테는 이 소께임이 언니의 발그레한 볼과 땀 젖은 머리카락을 만지고 언니와 같은 곳에서 같은 공기를 호흡하기 위한 연습이었다.

요새 이광수 씨의 소설 <이순신>에 빠져 있는 권옥은 학익진을 펼쳤다. 권옥이 워낙 실력이 출중하고 발이 빨라서 다른 선수들이 따라잡질 못하니까 그렇게 될 수밖에 없긴 하였다. 권옥이 최전방에 나서고 은조, 영선이 날개가 되고 승혜, 노라가 뒤에서 받쳐 주는 진용이었다.

권옥 같은 구걸(球傑)[42]이 없는 우리 쪽의 전략은 단순하였다. 보나가 권옥을 전담 수비하다가 체력이 다하면 막순이 이어받고, 혜란이 노라를 진로 방해하고, 땅에 붙은 공은 잘 몰고 가지만 뽈이 무릎 위로 올라가면 제어하지 못하는 승혜를 남연이 막는 전법이었다. 나는 채윤의 옆에 붙어 뛰면서 만에 하나 우리 선수들이 채윤 쪽으로 뽈을 보내면 잘 받아 내 구멍이 생기지 않도록 하는 역할을 맡았다.

깍두기인 내가 킥오프를 하였다. 권옥이 자유축하였으나 실축하고 말았다. 이어서 막순이 권옥의 앞길을 막았다. 경평전 못지않은 터프한 플레이였다. 권옥은 막순에게 몇 번이나 정강이를 채여 넘어지면서도 계속 일어났지만 이내 다시 까이는 바람에 좀처럼 하프라인을 넘지 못하였다. 넘어진 권옥에 손을 내밀어 일으켜 주면서 막순은 사과하지 않았다.

"이건 스뽀츠야. 우정은 다 끝나고 나누자."

권옥과 막순이 하프라인에서 뽈을 다투니 나머지 선수들은 제자리 뛰기만 하다가 지루해져서 운동장 여기저기를 망아지마냥 뛰어다니고 있었다. 보다 못

---

42 영웅호걸에 빗댈 만큼 출중한 축구 선수.

한 보나가 소리를 빽 질렀다.

"야! 권옥! 패쓰 좀 해라! 축구는 너만 하냐! 축구 선수가 왜 열한 명씩이나 되겠냐!"

권옥의 근처에는 마침 은조도 영선도 없었다. 권옥은 망설이다가 드리블의 귀재 승혜에게 패쓰했다. 승혜는 이리저리 뽈을 몰고 달리더니 문전에서 꼴킥하려다 말고 멈칫하였다. 아직 꼴킥은 연습치 않았으니까. 승혜가 은조에게 넘기려고 찬 뽈이 공중으로 뜨자마자 남연이 가로챘다. 남연이 뽈을 몰다 제자리에서 한 바퀴 돌았다. 보나와 막순은 권옥을 막고 있으니 패쓰할 선수가 마땅치 아니하였던 게다. 노라가 뽈을 되찾아 오려던 순간 혜란이 노라와 부딪혀 가며 뽈을 탈취하여 아무 데로 차 버렸는데, 그게 하필 채윤 근처였다. 다 같이 발을 멈추고 채윤을 응원했다.

"차라! 차라! 차라! 차라!"

채윤이 조심스레 뽈을 툭 차는 바람에 내 예상보다 뽈이 멀리 가지 못했다. 영선이 낚아챘다. 은조가 뽈을 받아 승혜에게 넘겼다. 승혜는 이번에는 꼴킥을 피하지 않았다. 룽슌. 꼴대를 비운 나 대신 채윤이 막으려고 했지만 오히려 뽈을 잘 굴려 주는 바람에 꼴인. 내가 문전을 지키고 있었으면 저 정도는 걷어 냈을 터인데….

"네가 몸을 사리니까 실점하였잖니!"

분한 마음에 목소리를 높이다가 채윤을 밀쳤다. 채윤도 반격하였다.

"내가 놓쳐도 네가 옆에서 잘 찼으면 되지 않구!"

나는 퇴장당하였고 은조가 영선의 도움축을 받아 득점하였다. 0 대 2로 우리의 대패였다. 경기 내내 극심한 체력 소모를 한 막순과 권옥이 바닥에 대자로 뻗어 버렸다.

"드디어 스뽀츠 끝났다."

남연이 막순에게 물을 먹였다.

"돈도 안 되는 축구를 뭐 이렇게 열심히 뛰었다니. 너 아주 축구 중독이다."

"축구는 확실하니까. 일본이 전쟁을 할지도 모른대서 미래가 불안한데 조선인이 할 수 있는 건 없지. 어디든 몰두하고 중독되어야 숨 좀 쉬고 살겠는데, 금광도 종교도 모루히네도 다 막연하잖아. 축구는 내 발에 공이 닿고 내 숨이 차고 내 몸으로 부딪히는 운동이니까. 생생하잖아."

"마라손은 안 그래?"

"축구는 뽈 하나 두고 다 같이 뛰니까."

보나도 이쪽으로 왔다.

"막순이가 권옥 안 막았으면 0 대 2도 더 넘었을걸."

"막순이가 안 막았으면 나 때문에 우리 쪽이 대패했을 거다. 팀웍 무시하고 나 잘 뛴다고 혼자 뛰어서."

옹졸하다고 할지 모르겠지만 나는 경기 후에도 화가 풀리지 않았다. 채윤도 지지 아니하였다. 끝나고서 채윤이 토라진 채로 있자 영선이 다가와서 달랬다.

"스트레칭 잘 하고 병 같은 걸루 다리 맛싸지를 하면 각선미는 문제없댄다. 그러니까 걱정 말고 뛰어."

은조가 거들었다. 얘는 법학 공부하겠다면서 시시비비 가려서 판결 내기는커녕 중재만 한다.

"과학적 해결책을 찾아야지 감정 싸움을 하면 무엇하니. 둘이 화해해라. 너는 축구가 좋고 채윤이는 용모 가꾸는 게 좋으니 서로 한 발짝씩 이해하면 될 것 아니니."

영선과 은조의 중재로 채윤과 어색한 악수를 하였다. 영선이 채윤의 다리를 안마해 주었다. 영선은 다리를 짚으며 근육과 뼈의 이름을 읊고 있었다. 운동하여 살이 빠지고 근육과 뼈가 돋으니 얼마나 재미있냐면서. 채윤은 곧은 다리를 쭉쭉 펴고 발끝까지 손을 뻗으며 유연함을 도모하였다. 오버헤드킥 흉내를 내면서. 그러고 보니 채윤이 체조는 잘한다.

나는 자존심이 있어서 혼자 내 다리를 주물렀다. 어느새 종아리엔 알이 배기고 허벅지엔 군살이 빠져 근육이 조금씩 드러나고 있었다. 내 손은 제법 가늘어진 발목에서 조선무처럼 입체감 있는 종아리를 지나 탄력이 생겨 단단하게 만져지는 허벅지를 따라 올라갔다. 허벅지 안쪽 근육의 팽팽함을 느끼고 더 안쪽으로 손이 향하고 나는 내 몸에 빠져들었다. 전엔 이렇게 내 몸을 탐색하고 만지고 몸의 변화를 탐구할 일이 없었다. 어릴 때야 사방팔방 천방지축 뛰었지만 팔다리가 길어질수록 내 몸이 거북스럽고 음습하고 부끄러워져 몸가짐을 조심하게 되었다. 가슴이 나올 때엔 민망하여 어깨를 움츠렸고 월경을 할 때엔 늘 피가 새지 않나 앉은 자리를 살피었다. 여학교에서도 우리는 서로를 주의시켰다. 그런데 지금은 누구 다리가 더 빨리 오래 달리나 누구 발이 더 세게 공을 차나 겨루고 있다. 나는 내 몸이 여간 재미스럽지 않다.

근육통에 에구에구 하면서도 걸을 때마다 허벅지가 쑤시는 근육통이 짜릿하니 쾌락적이어서 자꾸만 걷고 뛰었다. 지열과 뙤약볕으로 달궈진 몸에 찬물을 끼얹으니 아조 상쾌하고 활기차 절로 나오는 노래를 흥얼거렸다. 하루하루 강건해지는 몸을 걸어지는 피부를 생동하는 기운을 느낄 때마다 언니를 생각하였다. 심장이 두근대고 볼이 발갛게 달아오를 때 언니를 사랑하였다. 나는 나라의 미래도 나의 장래도 아무것도 모른다. 확실한 건 내 손끝으로 만져지는 팔다리의 근육과 언니를 향하는 나의 마음뿐….

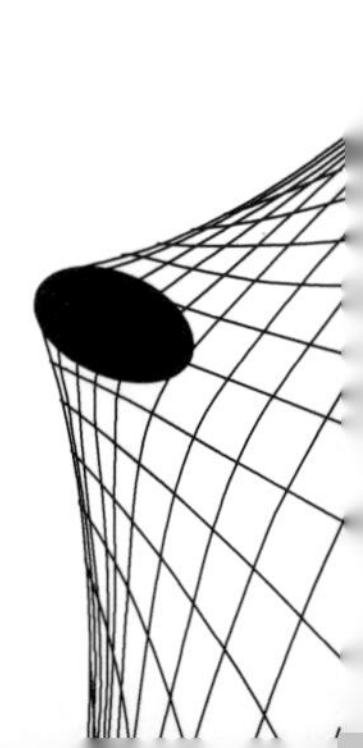

집안에서 혼인 강요. 혼자 해결 가능. 당분간 서신 왕래 불가

하프타임

정월 언니에게

저는 지금 부치지 못할 편지를 쓰고 있어요. 이렇게라도 토로하지 않으면 미쳐 버릴 것만 같아서요. 발을 쾅쾅 구르고 주먹으로 가슴을 치고 잡지를 찢어발기는 저를 광인으로 여기지 마셔요. 언니께서 제게 무어라고 전보를 보내셨는지 기억하신다면.

- 집안에서 혼인 강요. 혼자 해결 가능. 당분간 서신 왕래 불가 -

혼자 해결하신다고요? 언니의 아비가 혼인을 밀어붙이면 언니가 어찌 혼자 빠져나올 수 있나요. 서전[43]까지 가서 공부하고 돌아온 인텔리 여성도 직업 구하기가 어려워 콩나물 장사나 하다 죽는 세상인데 고등보통학교도 졸업치 못한 언니가 당장 무얼

43 스웨덴.

할 수 있나요. 일본으로 유학 가서 자수를 배워 오면 교원 자격도 생기고 수예 작품도 팔아서 자립할 수 있다 하셨지요? 그것도 아비가 학비를 대 주어야 가능하지 않아요. 그 아비가 지금 언니를 유학 말고 시집 보내겠다지 않아요.

언니, 저는 기생의 딸인 게 부끄럽지는 않지마는 언니의 어머니가 평양 대부호의 막내따님이셨다는 사실에는 어쩐지 위화감을 느꼈어요. 그런데 이제 보니 우리는 어머니만 달랐지 같은 아비의 딸들이네요. 우리는 딸의 교육은 고등보통학교면 족하고 결혼은 자유연애의 당사자들이 아닌 집안 사이의 거래라고 여기는 구식 늙은이들의 수중에 있는 힘없는 신여자들이지요. 우리가 아무리 마음대로 단발을 하고 축구를 하여도 그건 온전한 자유가 아니었던 거여요. 우리는 자본과 권력을 가진 아비들에게 억압받을 수밖에 없는 일개 청년이었던 거여요. "까라!"라고 내질렀던 함성이 운동장을 못 넘듯 우리가 아무리 신여자라 자부해도 가부장의 울타리는 넘을 수 없는 거여요. 언니, 저는 이 판국에 언니와의 공통점을 발견하고 좋아하는 스스로가 우습기도 하여요.

언니에게 '경희'란 이름을 드릴 걸 그랬어요. 소설 <경희> 속 경희가 말했지 않아요. 여자도 사내 하는 건 다 할 수 있고, 공부를 많이 해야 남에게 존대도 받고 돈도 많이 벌며, 사람은 금수와 달라서 제가 벌어 제가 먹는다고요. 언니, 아비를 계몽할 수는 없나요. 신가정의 신생활은 부부 사이의 화목에서 오고, 부부의 행복은 자유연애로 맺어진 상대에 대한 애정과 신뢰에서 온다고요. 말씀드려요, 언니. 우리의 동성연애는 자유연애가 아니었나요. 남들처럼 언니에게도 동성연애는 여학교 시절의 추억일 뿐이었나요. 한때 재미스럽게 여겼던 제 몸이 원망스러워요. 왜 저는 사내가 아닌 걸까요. 왜 활동사진의 로맨스 속에서 가여운 레이디를 구출하던 용감한 젠틀맨이 아닌 걸까요. 바지도 입고 머리도 잘랐는데 왜 언니 집안의 사위가 될 수 없는 걸까요.

언니, 저는 언니와 하고 싶은 게 많았어요. 부인석에 나란히 앉아 활동사진을 보면서 외국인 배우들의 키쓰 장면이 나올 때마다 놀라는 척하며 언니의 손을 잡고 싶었어요. 겨울이면 군밤이며 땅콩을 서로의 입에 넣어 주고 여름이면 해수욕을 가서 남들 시선이 닿지 않는 물속에서 서로의 발을 간질이고 싶었어요.

언니, 차라리 혼인해서 불행해져 버려요. 이혼해 버릴 수 있게요. 그런데, 심판으로 삼은 판사가 언니에게 불리한 편파 판정을 내면 어쩌지요? 경평전이 파행되었듯 언니의 혼인도 파탄 날까요?

언니의 부(夫) 될 사람은 언니에 대해 뭘 알아요? 언니가 사랑하시는 사람이 누구인지도 알아요? 언니가 뭘 좋아하는지도 알아요? 가정부인 되면 운동할 여가도 없어지는데 블루스타킹은 어쩔 건가요.

언니, 집을 탈출해요. 저랑 작전 모의를 해요. 우리가 할 수 있는 게 뭐가 있을까요. 언니와 저의 옷장에서 제일 좋은 옷을 꺼내 입고 우리 처음 갔던 창경원에서 목을 맬까요. 언니, 우리 차라리 죽어 버려요. 죽어서 사랑을 지키고 세상에 복수하여요. 아무리 생각해도 방법이 없어요. 언니, 제발 저를 버리지 말아요. 언니에게마저 버림받으면 저는 죽어 버릴 테야요. 왜 엄마도 언니도 제가 사랑하는 사람들은 저를 떠나나요. 저의 사랑이 그토록 왁살스럽고 짐스러운가요.

언니, 저는 이 전보를 영영 이별로 여기지는 아니하여요. 전후반 사이 휴식 시간이라 생각하여요. 언니 제발 저에게 뽈을 패쓰하여 주셔요. 왜 축구를 혼자 하려 하셔요. 언니의 고뇌를 제게 장축으로 보내주셔요. 제가 꼴문 앞에서 뽈을 받아 낼 터이니. 그 뽈을 던져 줄 우리 편이 근방에 위치하지 아니하면 그냥 제가 영영 안고 있을 테야요.

언니, 저는 지금 바람 빠진 뽈을 차는 축구 선수마냥 한없이 무력하여요. 그것이 저를 미치게 하여요.

소화 10년(1935년) 5월 13일
경희로부터

후반전

소화 11년(1936년) 6월 20일

- 혼인 문제 해결. 서신 왕복 재개. 블루스타킹 그간 훈련 지속 -

언니에게서 온 전보 한 통에 세상이 거꾸로 한 바퀴를 돌아 제자리를 찾았다. 언니는 곧바로 뒤이어 보낸 편지에서도 자세한 이야기는 하지 아니하였다. 다만 말하기를, 남편이 될 뻔한 사람은 대학 입시에서 번번이 미끄러지고 그이 아버지는 이미 지나간 사상에 물들어 국외로 도니 그이 어머니가 이상한 종교에 빠져 점점 가산을 거덜 내는 통에 혼인이 틀어졌다고 하였다. 그 집안 고명딸마저도 교주에게 바친다더니 어느 날 갑자기 일가가 사라졌다고 하였다. 사실인지는 모르겠다. 워낙 세상이 불안하고 불명확하니까 온갖 종교가 판을 치고 아무나 교주가 되는 세상이었다. 언니도 그런 이야기들 중에 하나를 주워서 써 보낸 게 아닐까. 아무것도 할 수 없는 내가 공연히 어린애처럼 발만 동동거렸을까 봐 달래 주느라고.

언니는 머리카락을 보내 줄 수 없어 미안하다고 썼다. 삭발을 하여 머리카락이 무척이나 짧아졌다고 하였다. 평양에서는 여자들이 머릿수건을 쓰니 괜찮다고도 하였다. 언니가 혼자 해결하려고 어디까지 투쟁하였나 헤아리니 쓴맛이 목구멍에서부터 올라왔다.

그러면서도 블루스타킹은 훈련을 지속하였다며 레드비로드를 견제하는 게 언니다웠다. 나도 지지 않고 답신을 보냈다. 레드비로드의 패쓰 정확도는 계속 올라가고 있다고. 이제는 "여기로 보내!" 하고 소리치지 않아도 눈빛만으로 누가 누구에게 패쓰할지를 아니까 블루스타킹이 패쓰 받을 선수 앞에 가서 미리 수비하기가 어려워질 거라고.

이제 다들 제법 뽈을 다룰 수 있게 되어 뽈을 냅다 차서 상대편에 패쓰를 하는 어이없는 실수도 많이 줄었다. 뽈이 발끝이 아니라 발등이나 복사뼈에 의도대로 맞으니까 계획대로 뽈이 간다. 막순은 가끔 무조건 제일 가까이에 있는 사람에게 뽈을 주고 채윤이나 노라는 멀쩡히 근처에 있는 사람을 두고 굳이 혜란에게 뽈을 주어서 곤란할 때도 있기는 하였지만.

높이 날아오는 공이 겁난다고 물러나지 않고 가슴이나 허벅지로 공을 받은 후 바닥에 떨어뜨려 발로 차는 기술들도 늘었다. 처음에 남연이 오빠의 훈련 일지를 가져와서 가슴으로 공을 받아 내는 기술을 설명할 때 킥킥대던 부원들은 채윤의 '회고'에 정신을 차렸다.

"허벅지로 공 받느라 다리 들어올릴 때 바지 속으로 사루마다가 보일까 봐 바지 속에 통 좁은 바지 또 입어야 한다고 내가 그랬지 않아. 그때 다들 뭐랬어. 살을 가리려고 속옷을 입고 속옷을 가리려고 또 옷을 입어야 하면 구식 여성처럼 겹겹이 껴입느라 활동을 못 한다구 하지 않았니. 속옷은 그냥 속옷일 뿐이라구. 보이면 좀 어떠냐구. 가슴두 그냥 몸이지 뭐 어떠하니. 사내들은 훌렁훌렁 벗구 가슴 따위 보이는 거 아무렇지두 않아 하는데."

그러고 나서 종아리에 알이 생긴다고 그놈의 마싸지만 하지 않았으면 나까지 감동할 뻔하였다.

레드비로드는 이제 공을 보지 않고 사람을 보면서 패쓰하고 수비한다. 공이 구르는 곳으로 몰려다니지 않고 각자 자기 자리를 지킨다. 꼴키퍼는 전체 그림을 보는 선수라 목이 쉬도록 연습 내내 소리를 질렀다. 누가 누구에게 패쓰를 하고 누가 도움을 주고 누가 슛을 차야 하는지.

처음엔 친분 때문에 조심스러웠던 레드비로드 구성원은 이제 '스뽀츠인'이 다 되었다. 압박 수비도 꺼리지 않는다. 수비 중에 몸이 부딪혀도 움찔하지 않고 그냥 까 버린다. 뽈을 빼돌리려다 다리가 엉켜 넘어지더라도 다시 일어난다. 권옥은 꼴포스트를 앞에 두고 뽈을 한 번 멈췄다가 차는 버릇을 고쳐서 뽈을 그대로 꼴대 안으로 차 넣는다. 권옥이 마지막 1분을 남겨 두고 뽈을 창공으로 뻥 차올린다.

언니의 1년 동안 무슨 일이 있었는지 나는 모른다. 언젠가 갚아 주리라고, 장난스레 끄적여 본다. 나도 무슨 일이 생겼다고, 언니 없이 혼자 해결 가능하다고 연락을 끊어 볼까. 그러면 언니는 어떻게 할까. 나처럼 부치지 못한 편지나 써 댈까. 당장 달려올까.

현실적인 생각을 해 보았다. 신여자는 여학교를 졸업했다고 절로 되는 게 아니다. 단발을 하고 치마를 짧게 입고 양산과 핸드백을 들었다고 '모던 걸'은 아니다. 콜론테 여사의 기사대로 직업을 가지고 자립적 생계를 영위하여 생활 수단으로서의 결혼에서 해방된 여자가 신여자다[44]. 구주대전[45] 후의 구라파 신여자는 연애에 목숨 걸지 않는다[46].

그러나 조선의 여학생은, 언니와 나는 어떠한가. 아는 게 많은 아내는 남편과 싸움이나 한다는 부모의 생각 때문에 고등보통학교까지만 다닌다. 학교를 졸업하고 달리 할 게 없어서 시집을 간다. 언니의 계획대로 유학을 다녀온다 해도 고학력 여성이 할 수 있는 일은 교원 아니면 기자다. 교원을 하려 해도 총독부에선 보통학교나 지어 대지 고등보통학교 이상은 허가를 꺼린다. 고등교육까지 받고서 코흘리개에게 사칙연산에 글자나 가르쳐 마구 부려먹히는 일꾼으로 키워 내는 일은 영 내키지 않고, 말귀 통하는

---

44 <장래사회의 연애급결혼관> 上, 《동아일보》, 1929년 12월 1일.

45 제1 차 세계대전.

46 <장래사회의 연애급결혼관> 下, 《동아일보》, 1929년 12월 2일.

머리 굵은 학생을 가르치려면 아예 자리가 없다.

여기자는 신문사에서 구색 맞추기 용도로 뽑는다. 신문사는 여류 명사를 한두 명만 채용해서 여성 문제 가정 문제에 관한 기사만 쓰게 한다. 나는 여류 명사로서 여기자가 되는 게 아니라 여기자로서 사회 명사가 되려고 하지만 그도 일단 뽑혀야 될 게 아닌가.

언니도 나도 남자에게 인생을 바치지 않는다면 우리의 연애와 결혼이 '동일한 조건하의 계약[47]'이 될 수 있을까. 언니는 계획대로 유학을 마치고 교원이 되어 독신 여성으로 살 수 있을까. 이번엔 삭발로 넘어갔다지만 다음번에 다른 혼처가 나타나면 그땐 또 무엇을 해야 할까. 이번에 나에게 머리카락을 보내 주지 못했듯 그때가 오면 내게 키쓰를 보내 주지 못하게 될지 누가 알까. 노라 말대로, 졸업 전에 무엇이든 다 해야 한다. 여자 경평전도.

다음번엔 언니가 아니라 내가 전보를 치게 될 수도 있다. 그때에 언니는 나처럼 허망하게 막막히 시간만 흘려보내고 있을까. 아니다. 언니는 '혼자 해결 가능'한 사람이다. 언니는 나를 찾을 게다. 경성운동장이든 레드비로드의 운동장이든 창경원과 한강변의 인파 속에서든 어느 신문 기사의 구석에서든.

---

47 <장래사회의 연애급결혼관> 下, 《동아일보》, 1929년 12월 2일.

정월 언니에게

명치신궁대회[48]에서 경성축구단이 우승했다는 소식을 들었어요. 이번 명치신궁대회는 내년도 백림[49] 올림픽 선수 선발전이라 조선 선수 두 명이 올림픽에 출전한다 하였지요. 경성군 출신 선수 하나랑 평양군 출신 그 후리후리한 미남 선수 하나가 '공정하게' 선발되었어요. 아무리 보아도 조선 선수들이 더 활약 미려하였는데 왜 일곱 명을 선발한댔다가 단 두 명만 선발하였는지 모르겠어요. 아니, 알아요. '국가' 대표라면 아무리 스뽀츠라도 공정할 수가 없는 게지요. 일본 대표팀에서 조선인들이 뛰는 게 못내

---

48 전(全) 일본 선수권 대회. 1935년도 대회는 1936년 베를린 올림픽에 출전할 국가 대표 선발전을 겸했다.

49 베를린.

싫은 게지요. 조선 선수들이 같은 팀 일본 선수들을 까지 않고 패쓰할지 신뢰할 수 없는 거여요. 일본 대표팀 유니폼을 입고 전력 질주할지 신용치 않는 거여요.

그 두 명 중에 평양 선수는 올림픽에 나가지 아니하기로 했다는 소식이 왔어요. 일본과 영국이 친선 경기를 하는데, 일본 감독이 평양 선수에겐 꼴문 근처에서 패쓰만 시켰다지요. 선수는 일본인 감독이 제대로 뛰지 못하게 하였는데도 스뽀츠인답게 최선을 다해 뛰어 여섯 꼴이나 넣고 동양인으로서 서양인의 코를 납작하게 눌러 버렸대요. 그러고선 경기 후 목욕탕에서 경기 내내 억눌렸던 울분을 터뜨려 일본 감독 등짝을 후려치고는 "나 조선 갈란다." 한마디 남기고 귀국해 버렸다지요. 그 선수야말로 제대로 된 스뽀츠인이지요. 일본 감독이라는 놈은 승부욕을 부리지 아니하다니 스뽀츠인의 수치여요. 그 놈들은 스뽀츠를 할 자격이 없어요.

이제야 일본 국가 대표에 조선인을 선발치 아니하는 이유를 알았답니다. 조선인이 발군의 실력 보여주어 일본 선수 기를 죽일까 봐 두려운 거여요. 조선인은 아무리 잘나도 일본인보다는 못하여야 하는 거여요. 여자가 잘나면 남자 기를 죽인다 하여 여자아이들은 학교에 보내지 아니하는 구식 부모들처럼 조선인이 뽈을 잘 차면 일본인 기가 죽을까 겁을 내는 거여요. 여학생 며느리가 가정생활을 개량하면 어른께 대든다고 버럭대기나 하는 구식 노인네 노릇이지요. 조선 사내들이 신여자를 무서워하듯이 일본은 발 빠르고 기운 센 조선인들을 무서워하는가 보아요.

레드비로드 구락부는 조선인 선수가 한 명 있는 일본 축구단의 승리를 응원해야 할지 격론을 벌였답니다. 권옥은 경성 선수가 결기에서 평양 선수에 패하였다며, 가슴팍에 일본 국기를 달고 일본 선수단의 일원으로 뛰느니 출전을 거부하였어야 한다고 말했지요. 애는 경성 사람이면서 왜 평양군을 응원하는지 모르겠어요. 은조는 실용주의적 입장이었답니다. 선발과 훈련 과정이 공정치 못한 것은 사실이나 조선인을 하나라도 포함하여 서양에 조선인의 투지와 우수성을 보여 주어야 한다고 했어요. 조선인들은 일본이 아니라 조선인 선수만을 응원할 거라면서요. 막순은 조선인 선수가 열렬히 일본인 선수들을 방해해서 승리를 좌절시켜야 한다고 했지요. 그 말을 들은 혜란은 귀국 뒤에 그 선수는 종로경찰서로 끌려갈 거라며 미리 비탄에 빠졌고요. 남연은 그를 조선인으로 여기는 건 같은 조선인들뿐이고, 서양인들과 일본인들 모두 다 조선인 선수를 일본인으로 오인할 거라 했지요. 나는 그래도 스뽀츠인이라면 거기가 어디건 뛰는 자리에서 전력을 다해야 하지 않냐고 했어요. 막순은 이렇게 말하며 운동장에 벌렁 드러누워 버렸습니다.

"축구가 개인 경기가 아니라 단체 경기라서 좋았는데, 이제는 단체 경기여서 싫다. 축구 말고 마라손 할걸."

노라가 달랬지요.

"마라손도 일본 국기 달고 뛰는 건 축구랑 똑같다."

물론 막순에게는 씨알도 먹히지 않았어요.

"마라손은, 일본인한테 패쓰 안 해도 되잖아."

승혜는 역시 작가 기질이 있었어요.

"밀사 파견하듯이 몰래 조선 축구단을 독일에 보내면 안 될까."

우리는 다 같이 흙바닥에 누워 버렸지요. 채윤도요. 얘 원래 옷 더러워지는 거 끔찍하게 싫어했는데.

"왜 굳이 올림픽은 국가 단위로 출전해야 하나 몰라. 진짜 전쟁도 아니면서."
"국가 대항전 아니면 응원하는 재미가 없지 않니."
"왜 재미가 없어. 국가 상관없이, 잘 뛰는 선수 응원하면 되지 않아. 난 경평전 하면 평양 응원하는데."
"그 선수도 조선인이니까 응원한 게지, 일본인이면 아무리 묘축[50]을 해도 응원하겠니. 국가 대항전이 아니면 어찌 국민들이 한데 모여 민족 자긍심을 북돋우겠고, 선수가 국위 선양을 하겠니."
"꼭 국가를 위해 뛰어야 하나? 그냥 나의 재미를 위해 뛰면 안 되나?"

아직도 채윤을 향한 감정의 앙금이 남아 있었던가 봅니다. 재미로 뛴다는 말에 바로 반격을 해 버렸어요.

"넌 재미로 뛰니? 난 진지하게 뛰는데."
"난 너도 재미로 뛰는 줄 알았지. 진지하게 뛴다는 애가 아직도 실력이 그 모양이니."

---

50 신묘해 보일 정도로 빼어난 축구.

현실주의자 남연이 끼어들었어요.

"재미로 뛰어야지. 여자 축구는 직업으로 삼을 수가 없잖아. 여자 정구 선수는 몇 년 뛰다가 심판이 된다지만 그게 직업은 아니구."

나는 왜 이런 데서 애먼 승부욕을 부리는지 모르겠어요. 그만 오기를 부렸지요.

"남자들만 일본을 이기니. 손기정, 엄복동, 서정권처럼 여자도 스뽀츠로 일본을 이기고 서양도 이겨야지. 그럼 여자 축구 인기도 드높아지고, 마라손 열풍 불듯이 여자 축구 하는 선수도 늘면 축구로 밥 먹고 살 수 있지. 여자 축구도 경평전 하고 조일전 하고 올림픽도 나가 보아야 하지 않겠어?"

우리의 상상은 점점 더 대담하고 불온해져 갔습니다.

"내년도 백림 올림픽은 빠듯하고 동경 올림픽에 여자 축구 도입되면 그때 뛰자. 일본 본토에서 일본 축구를 침몰시키면 더 짜릿하지 않겠어?"
"일단 일본은 이기고, 종로의 환영 인파에 파묻혀서 각계 유명 인사들 환영사도 들어 보고, 조선 여자가 남자 못지않다는 것도 보여 주고, 그다음에 개인의 영달을 위해 뛰어야지."
"동경 올림픽에서 우승하면, 여기저기서 초청하지 않을까? 그러면 초청받아서 구미 일주도 하고 잘되면 거기서 선수로 뛰다가 공부도 하고 영화배우처럼 생긴 서양 남자랑 결혼할 수도 있지 아니할까?"

주말에 다 같이 외출하여 냉면을 후룩거리면서도

상상을 이어 갔어요. 노라는 한숨 쉬었어요.

"그때도 우리가 축구 하고 있을까? 시집가면 남편 눈치도 보일 터인데…."

혜란이 은근히 노라의 그릇에 고명을 덜어 주며 말했지요.

"그러니까 축구도 못 하게 하는 사내랑은 결혼하지 말구 나랑 미용하면서 같이 살재두."

"영선이는 정형외과 해서 우리 다리 부러져도 부목 대고 뛰게 만들어 놓을 거구, 은조는 법 공부하는 김에 심판 공부도 좀 해 놔라. 채윤이는 축구를 영화처럼 역동적으로 찍어서 상영하구. 이번 올림픽 경기도 마라손 경기는 장차 영화로 상영한다지 않아."

"권옥이는 그때까지 귀국할 수 있니?"

갑자기 다들 입 모양으로 소곤거렸지요.

"그때까진 독립이 되지 않겠어?"

내가 다시 소리를 높였어요.

"근데, 그때까지 민족 개조를 해서라도 체격도 키우고 체력도 올려야지 너네 지금 이런 공놀이 수준으로는 영 우물 안 개구리 꼴이다. 올림픽은 꿈도 못 꾼다구."

"그럼 어쩌니? 맨날 이렇게 우리끼리 소께임만 해 가지곤 발전이 없는데."

"냉면이나 먹자. 냉면에 들어가는 아지노모토가 자양강장제 효과를 낸단다. 열량도 높구. 일본이 부강한 것도 아지노모토로 생활의 효율성을 높이

구 영양을 보충한 덕이라더라."

"내가 돈 많이 벌면 청요리[51]로 체력 보강하게 해 줄게."

"막순이 네가 어인 일이냐? 자린고비 굴비 굽는 소리 한다. 청요리 말고 대회 후원이나 해 주."

"후원은 경희가 일하는 신문사에서 해 주겠지."

조선에 스뽀츠 열풍이 부는 이때가 적기라는 생각이 머리를 스쳤답니다. 이때를 놓치면 아니 될 것 같아서 제 계획을 말하였지요.

"신문사에서 주최하는 전 조선 여자 정구 대회처럼 언론사 후원을 받아서 전 조선 여자 축구 대회를 만들자. 여학교들도 신문사에서 한다 하면 우승기와 우승배를 받아 올 여자 축구단을 육성하지 아니하겠어? 조선 사람들이야 그저 여자가 스뽀츠한다면 남학생의 입장을 제한한대도 부득부득 나뭇가지가 휘어져라 담장 밖 나무에 올라서라도 구경하지 않니."

"축구는 정구랑 다르잖아. 여럿이 뛰구 소리 지르구 거칠구 격렬하다구. 오히려 여학생들이라구 손가락질 받지 않을까."

"여자끼리 뛸 때는 마음껏 뛰었는데, 남자 관중들 앞에선 가슴말기 꽉 졸라매고 가슴이 출렁이지 않게 뛰어야 하는 거 아니니."

"일단 평양에 블루스타킹 구락부는 상대로 확정되었고. 우리가 경기하는 거 보여 줘야 여자두 축구한다는 걸 알구 다른 여학교 축구 구락부들두

---

51 중국 요리.

생기지. 2회 대회부터 구락부가 많이 참가하면 지역 축구군두 생기구 생업으루 선수 할 자리두 생기지 아니하겠니."

우리는 냉면 사발로 건배했답니다. 언니, 경성으로 오셔요. 우리의 첫 번째 경평전은 경성에서 하여요. 언니가 하는 걸 모두 함께하고 싶어요. 언니랑 같은 꿈을 꾸고 싶어요. 언니랑 한 운동장에서 뛰고 싶어요. 언니가 꼴킥을 날리면 그 뽈을 받아 안고 싶어요. 승리는 양보할 수 없지만 께임이 끝난 후 여홍을 못 이긴 척 언니를 꽉 안고 싶어요.

언니, 이 전 조선 여자 축구 대회의 원대한 구상에 행운을 빌어 주셔요. 저에겐 특별히 행복을 기원하여 주셔요. 제 행복은 오직 언니에게 있어요.

소화 11년(1936년) 6월 25일
언니의 경희로부터

정월 언니에게

야심 찬 계획은 보기 좋게, 아니 볼 것도 없이 볼품없게 끝날 위기에 처했어요. 신문사마다 편지를 보냈는데 아무 데서도 답장이 오지 아니하였지요. 신문사 문 앞에 가서 드나드는 기자들을 잡고 계획을 이야기하여 보았지만 모두 농담을 들은 듯 웃어넘기거나 고개를 절레절레 흔들었지요. 한 여기자님만 진지하게 레드비로드가 우려하였던 바 그대로를 말씀해 주셨어요.

"전 조선 대회라면서 참가할 곳이 경성, 평양에서 각각 한 학교밖에 없지 않니. 신문사가 참가할 학교를 모집한다고 홍보한다 해도 여학교 축구 구락부가 얼마나 있겠니. 평양에 있다는 구락부랑 경평전을 한다 했니? 경평전은 경성이랑 평양에서 제일로 잘 차는 선수들 중에 선발한 거구 너희들은 그냥 학교에서 공 좀 찬다는 애들끼리 모여서 친목 도모하는 구락부 아니니. 일단 경성에서 축구 구락부를 좀 더 모아 오렴."

노라는 당장 전국 모든 여학교에 뿌릴 전단지를 만들자고 하였어요. 금방이라도 윤전기를 돌릴 기세였어요. 남연이 즉각 제지하였지요. 노라가 '하면 된다'라면 남연은 '되면 한다'여요. 노라가 행동파라면 남연은 주판알 튕기는 쪽이지요.

"레드비로드 만들 때두 비밀 독서 모임으로 의심받았다구 하지 않았어? 하필 이름에 '레드'까지 들어가니 학생 적색 독서회로 의심받기 딱 좋았던 걸 교내 구락부라서 넘어간 거지 연합 구락부면 문제가 커질 수 있어. 꼬투리 잡고 누명 씌워서 시국 사범 만드는 거 일두 아니라구. 졸업생 중에 사상에 물든 선배 하나쯤 없겠어? 그런 선배들이 후배를 가르쳐 동맹휴학 시키구 축구 구락부로 위장한 적색 독서회 만들어서 사상을 주입하여 국가 체제 전복 시도했다구 덮어씌우면 끝장이야. 여학생들이니 더 센세이쇼날하겠지. 기숙사 수색했는데 막순이 사상 서적이랑 보나 한글 교본 나오구 권옥 가계도 밝혀지면 빼도 박도 못해. 영선이 너 인체의 신비를 탐구한다며 에로그로[52]한 삽화 들어간 책 보는 거 나오면… 진짜 민망해서 죽고 싶을 거 같다."
"그럼 나랑 권옥만 빠지면 되겠네. 영선은 책만 불태우면 해결되구."
"그럼 이대루 접어?"

그제야 남연이 본론을 말했어요.

---

52 '에로'+'그로테스크'. 선정적이고 엽기적인 것.

"여자고등보통학교[53]는 안 돼. 고등여학교[54]는 상관없지. 조일전을 하자. 전 조선 여자 정구 대회두 초창기에 조선과 일본을 나눠서 경기했을 때보다 조선인 학교든 일본인 학교든 상관없이 대결하는 지금이 더 인기 있지 않니. 결승전이 조일전이 되니까."

문학소녀 승혜가 고녀[55] 기숙사에 보낼 편지를 쓰고 권옥이 일본어로 번역하였어요. 우리는 편지가 무사히 기숙사의 검열을 통과하여 도착하기를, 답신이 오기를 기다렸어요. 며칠 만에 온 한 통의 편지에는 주장인 저를 만나고 싶다는 쿄꼬라는 학생의 답이 있었어요. 아무런 향기도 키쓰도 머리카락도 없는 편지였답니다.

쿄꼬와는 본정의 카페에서 만났지요. 쿄꼬와 저는 동시에 커피를 주문했어요. 동갑이라 말을 놓기로 하였지요. 경성에서 태어났다는 쿄꼬는 조선말이 유창했어요. 집에서 식모살이하는 오모니[56]도 가게 사환도 조선인이랬어요. 조선인이라고는 자기보다 아랫사람만 만난 셈이지요.

"쿄꼬(京子), 나랑 같은 한자를 쓰네…. 동경의 경이니, 경성의 경이니?"
"둘 중에 골라야만 해? 조선은 내가 사랑하고 발전시킬 의무가 있는 조국이고, 일본은 언젠가 돌

---

53 조선 내 조선인들이 다니는 여자 중등학교.

54 조선 내 일본인들이 다니는 여자 중등학교.

55 고등여학교.

56 일본인 집에서 식모살이하는 조선인 여성으로, '어머니'의 일본식 발음.

아갈 고국인데?"

"머릿속이 꽃밭이네. 네가 어떻게 조선을 사랑해. 그건 기만이지. 너는 여기서 특권층인데. 아무리 놀랄 때 '에그머니.' 하는 조선말부터 튀어나온다 해두 너는 조선을 온전히 이해할 수 없는 타민족 사람이야. 너는 우리 시합을 조선-일본 대항전이라고 부를 수 없고 학교 대 학교 시합이라고만 부를 수 있는 현실을 이상하단 생각 없이 받아들일 거야. 조선은 백림 올림픽에 독자 출전을 못 하구 조선 사람은 일본 선수로서만 나갈 수 있고 그 선발 과정마저 일본인에게 유리하다고 해도 너는 고민 없이 일본을 응원할 수 있을 거야."

쿄꼬에게 쏘아붙이면서 제 처지를 생각했어요. 경성의 경 자를 쓰면서, 저는 고향에서 얼마나 멀리 와 있나 하고요. 머리와 치마를 자르고 축구를 하고, 그 다음에는 제게 무엇이 있을까요? 기자가 되지 못한다면, 그저 고향의 여인네들처럼 시집가서 아이를 기르는 삶이 있을까요? 언니와 현해탄이라도 건너 함께하는 삶이 있을까요?

"하지만 민족으로선 적대하더라도 여성으로선 연대할 수 있지 않아? 일본에서 태양의 신은 여성이야. 조선의 <해와 달이 된 오누이>에서도 누이가 해가 되지 않아? 원래, 여성은 태양이었어. 진정한 인간이었어. 지금은 타인에 의해 살아가고 타인의 빛에 의해 빛나는 병자와 같은 창백한 얼굴의 달이지만[57]."

---

57 히라쓰가 라이초, <원래 여성은 태양이었다>, ≪세이토≫(어문학사, 2007).

'원래, 여성은 태양이었다.' 언니가 제게 보여 주었던 《세이토》에 실린 구절이었습니다. 갑자기 쿄꼬가 친근해졌습니다. 언니가 보내 준 친구인 것처럼요. 스치는 모든 인연의 옷깃에서 언니를 발견해요. 누구에게서라도 언니와 이어지는 점을 기어이 찾아내요. 쿄꼬는 언니처럼 여성주의자고 무모한 일을 실현시키지요. 쿄꼬가 조직한 축구 구락부의 이름은 '타이요'였어요. 태양이란 뜻이지요.

"너는 어떻게 구락부를 허가받았어?"

"선생님께는 여자들도 남자들만큼 신체를 단련해야 위대한 황군의 어머니, 굳건한 황국신민이 될 수 있다고 했지. 동무들한테는 내지로 진학하면 거기는 여성에 대한 제약이 여기보다 훨씬 심하니 조선에 있을 때 할 거 다 해 봐야 한다고 말했고."

조선이나 일본이나 여자가 장래의 모체로서 대우받는 것도, 내 몸은 내 맘대로 하겠다는 여자아이들이 있는 것도 똑같지요. 여자 축구 경기는 후원을 받기 어렵다는 것까지도요.

경기는 휴일에 타이요 구락부의 홈구장에서 열렸습니다. 고녀 운동장에서 시합을 했다는 뜻인 건 언니도 아시겠지요? 관중도 심판도 후원 단체도 없는 경기였지요. 레드비로드는 오래 운동했고 팀워크도 다졌으니 이제 결성된 지 얼마 안 된 타이요 정도야 쉽게 무찌를 수 있을 줄 알았답니다. 민족 감정까지 더해지자 경기는 초반부터 격화되었지요.

예상 외로 고녀 선수들의 체력이 좋았어요. 아직 패쓰 정확도가 떨어지고 꼴 결정력이 약한 타이요는 철벽 수비에 치중하였어요. 권옥이 롱슛을 하거나 롱패쓰를 할 때마다 발 빠른 타이요 선수들이 뽈을 걷어 가 버렸어요. 두세 명이 권옥을 에워싸고 아무것도 못 하게 했답니다. 우리는 몇몇 타이요 선수들이 신은 '쌀 한 가마니짜리' 축구화를 탓했어요. 그렇게 따지자면 치마 입고 뛰는 타이요보다 바지 입고 뛰는 레드비로드가 더 잘 뛰어야 했지만요.

"어떻게든 선제꼴을 넣어서 기선 제압을 해!"

저는 경평전의 응원 구호를 외쳤어요.

"까라! 까라!"

다른 레드비로드도 제 선창에 응답하였지요.

"까라! 까라! 까라!"

그게 권옥에게 너무 부담을 줬을까요. 권옥이 타이요 수비수를 팔로 밀쳐 버리는 어이없는 반칙을 했지요. 권옥과 타이요 선수가 엉켜서 쓰러진 아찔한 순간이었어요. 다행히 가벼운 찰과상과 타박상을 입었을 뿐 크게 다친 곳이 없었지만요.

"축구에 규칙이 왜 있니! 알면서 왜 위반해!"
"조일전이라, 어떻게든 이기고 싶다 보니까…."
"이기는 게 문제니? 너 안 다치구 계속 뛰어야지. 네가 얼마나 필요한데…."

위로인지 책망인지를 하다가 문득 울컥했어요. 권옥이 졸업 후에 싸울 전쟁터에는 규칙이 없겠지요. 전장에서는 퇴장으로 끝나지 않겠지요.

은조와 영선이 서로 패쓰를 하다가 막순이나 보나가 받아서 꼴을 넣기로 작전을 수정했어요. 은조와 영선은 지금이야 뽈을 주고받으며 나란히 전진하지만, 졸업 후에는 서로 다른 길을 갈 터이고, 시집을 가면 우정도 엷어지겠지요. 지금 저렇게 펄펄 나는데 졸업 후에 변호사가, 의사가 되어서도 여전히 훨훨 날 수 있을까요.

막순도 권옥 못지않게 저돌적인 축구를 하지요. 번번이 측면에서 따라붙는 타이요의 압박에 주춤하였지만 하프라인을 넘어 적진에 진입하였지요. 그게 다 막순이 열심히 타이요를 깐 덕분이었답니다. 타이요는 여자가 스뽀츠를 명분으로 공격성을 드러낼 수 있다는 사실에 다소 당황한 눈치였어요. 막순은 패쓰할 사람을 찾아 두리번거렸어요. 수비진인 노라, 혜란, 채윤에게 뽈을 주려 했지만 타이요 수비진에 가로막혀 주춤거리기만 하였지요. 혜란은 실수라도 할까 봐 겁을 먹었고 노라는 혜란을 다독이기만 할 뿐 타이요의 수비를 뚫어 낼 방도는 생각지 못하였지요. 그러다 채윤의 눈빛에 막순이 몸을 틀어 수비진을 제쳤고, 채윤은 꼴문 가까이로 달려 나갔어요.

"아 정말 하나하나 달라붙어 아무것도 못 하게 하니까 재수 없다!"

막순이 주어를 생략하고 투덜대다가 꼴문 가까이에 있던 채윤에게 패쓰했고 채윤은 남연에게 뽈을 넘겼어요. 남연은 침착하게 슛을 했고, 꼴이 꼴넷트를 흔들었어요. 타이요의 철벽 수비만 없었다면 막순이 그대로 달려 나가 꼴을 넣었겠지요, 아마. 채윤은 자기가 꼴을 넣은 것마냥 긴 팔다리로 무용 비슷한 꼴 세리머니를 했어요. 역시 고운 아이는 뭘 해도 곱지요. 채윤은 언젠가는 영화에 출연하게 될까요. 선전 영화에도 출연해 아름다운 황군의 미망인을 연기하게 될까요. 남연은 꼴포스트 앞을 지나면서 제게 말했어요.

"꼴키퍼가 공간을 만들어 줘야 해."

타이요는 역습을 시도하였으나 연습이 부족한 탓에 묘축은 못하고 범축과 실축만 해 댔지요. 저는 패쓰에 능한 은조, 영선, 노라, 혜란이 모인 공간에 뽈을 던졌지요. 짧게 짧게 패쓰를 하며 공을 돌려 시간을 끌어 결국 1 대 0으로 이겼지만 쾌승이라기에는 개운치 않은 경기였어요.

경평전 후에 언니와 선술집에 갔듯이 모던 걸과 모던 보이들이 흔히 그리하듯이 쿄꼬와 처음 만났던 본정통 카페에 다 같이 갔어요. 커피에 설탕을 듬뿍 넣었지요. 일본이 남양[58]을 점령해서 좋은 점 딱 하나가 설탕이 넘쳐 난다는 것이지 않아요. 점령당한 조선에서 침략당한 남양의 설탕을 맛보는 호사에 입은 달고 속은 쓰지요.

"일본 여자들은 어찌 그리 체력이 좋으니? 남자 스뽀츠는 조선이 이기는데 여자 스뽀츠는 정구도 축구도 비등비등한 게 조선 여자는 격한 운동을 덜 시켜서 그런가 보아."
"레드비로드는 기껏해야 스뽀츠나 하지만 고녀 학생들은 군사 훈련을 받는단다. 모래 배낭 지고 새벽부터 장거리 도보, 양손에 모래주머니 쥐고 달리기를 하는 데다, 활쏘기와 검도 훈련까지 받는데 당연히 체력이 더 좋지 않겠니?"

---

58 필리핀 서쪽에 있는 일련의 섬들.

"곧 전쟁이 올 것두 아닌데 뭘 그렇게 벌써부터 총후부인(銃後婦人)[59]을 만들려구 든다니?"
"곧 온댄다. 아시아를 서양에게서 구해 내려면 남양과 대만으론 부족하고 결국엔 중국으로 진출해야 한다더라."

돈 냄새는 귀신같이 맡는다던 언니의 아버지는 전쟁의 폭약 냄새도 남들보다 빨리 맡았던 걸까요. 언니는 일본 유학을 앞당겼지요. 일본이 전쟁을 하면 사람은 징집하고 물자는 공출할 거라면서요. 설마 학생이랑 내지의 조선인은 건드리지 않겠지 싶어 유학 간다면서요. 언니, 그럴 리 없어요. 경성의 멋쟁이들은 여우 목도리에 나팔바지 차림으로 본정통을 쏘다니고 까페의 축음기에서 흘러나오는 짜즈는 이렇게나 감미로운데. 일본이 저 큰 나라 중국을, 미국을 어떻게 공격해요. 그건 자살꼴이지요. 언니, 가지 말아요. 가더라도 늦게 가요. 갈 거면 나랑 가요. 아비는 저를 시집이나 보내지 유학은 아니 보낼 터이지만 제가 어떻게든 해 볼게요. 처음엔 운동장 한 바퀴를 달려도 어느 순간 세 바퀴, 네 바퀴를 돌게 되듯이 하다 보면 무엇이든 할 수 있지 않겠어요. 제가 어떻게든 해 볼게요. 언니, 꼭 지금 가야 하나요. 우리 경평전을 하고 냉면을 먹기로 한 약속은 잊었나요.

소화 11년(1936년) 6월 27일
경희로부터

---

59 후방에서 전쟁을 지원하는 어머니 또는 아내.

여학생 경평축구전 무승부 1대 1접전으로

소화 11년(1936년) 8월 11일. XX일보.

제1 회 여학생 경평축구전 평양에서 개최
경성군 육박맹렬(肉薄猛烈)한 공격에
평양군 총공세로 반격
관중 난입했으나 선수들 침착하게 경기 운영

경성군 레드비로드 구락부와 평양군 블루스타킹 구락부의 축구 대항전은 예정된 바와 같이 8월 11일 오전 6시 대동강변에서 평양 시민들을 심판으로 하여 레드비로드의 킥오프로 막을 열었다.

전반) 레드비로드 채윤이 긴 다리를 이용하여 높이 뽈을 차올리나 블루스타킹이 헤딩으로 받아 내다. 블루스타킹이 수차 레드비로드를 까는데 특히 레드비로드의 채윤이 블루스타킹이 근접만 하여도 엄살 부리며 누우니 운동장을 침대로 알다. 그때마다 블루스타킹 선수가 손잡아 일으켜 주고 몰려들어 다친 데 있나 봐 주는 통에 전반을 중반쯤 지날 즈음에는 넘어지면 알아서 바로바로 일어나다.

전담 수비가 붙지 않은 권옥이 초반 댓바람에 여러 차례 찬스를 가져 장축을 찼으나 블루스타킹의 용맹정진한 반격에 막히다. 뽈이 길게 날아 창공에 뜨는 광경이 심히 호쾌하다. 권옥과 노라, 혜란이 삼각 패쓰로 전진하고 은조와 영선이 공격에 나서나 노련한 블루스타킹이 사이로 파고들어 이음새를 끊어 내다. 막순이 발분하여 공격에 나서고 남연도 수비를 포기하는 등 레드비로드가 투지를 불태워 총공세에 나서나 블루스타킹도 반격하여 전세가 자못 격렬하니 양군이 모두 득점치 못하고 전반을 마치었다.

전반에 블루스타킹이 여러 차례 묘축으로 레드비로드의 문간을 호시탐탐 노렸으나 레드비로드가 문수선방(門守善防)하여 무위로 돌아가다. 특히 블루스타킹의 최전방 공격수 정월이 문전에서 기실(機失)[60]하면 레드비로드 꼴키퍼 경희가 비분강개하다.

후반) 후반에는 양군 모두 맹렬히 질주하기보다는 기묘한 전술을 서로 다투다. 승혜가 번번이 블루스타킹의 철벽 수비에 가로막혔지만 침착하게 한 명씩 제끼면서 볼을 몰고 가서 은조와 영선에 패쓰하다. 그 뽈을 권옥이 받아 1점을 선취하였으니 심히 묘축이었다.

---

60 기회를 놓침.

대동강변 산보하던 관객 중 사내들이 이리 차라 저리 차라 훈수를 두고 누가 서구형 미인이니 누가 조선 전통의 미인이니 무례히도 면전에서 논하다. 선수들은 훈수꾼들보다 더 크게 작전 모의를 하다. 경희와 정월, 한 목소리로 "까라!"를 연호하다. 선수들, "까라!" 소리가 구령인 듯 그 소리에 발 맞추어 뛰다. 그사이 블루스타킹이 변칙으로 측면에서 돌진하여 레드비로드 수비진을 돌파하고 득점하다.

정월이 경희의 풀 죽은 어깨를 토닥여 주고 하프라인으로 돌아가다. 정월이 도움축을 받아 다시 한 번 장축을 차니 레드비로드 꼴키퍼가 뽈 방향을 정확히 예측하여 단번에 뽈을 받아 안다. 레드비로드가 환호하는 가운데 정월이 와서 공을 사이에 두고 경희를 안아 주다.

대동강변에 조선인들이 모여 있다 하여 일경이 해산시켜 경기 중단시키고 관중과 선수들을 해산시키다. 상호 1점씩을 득점한 상태에서 경기 종료되다. 선수들, 한데 모여 평양냉면을 먹으며 더운 김을 식히다.

평양에서
경희 기자

정월 언니에게

언니, 저는 평양에 가서 언니가 나고 자란 데를 보구 언니가 걷던 길을 언니의 팔짱을 낀 채 걷구 싶었어요. 언니가 냉면 한 사발 말아 준다 했지 않아요. 영웅호걸들이 한 사발의 술을 나눠 마시며 의형제를 맺듯 언니와 면발 하나를 호로록 나눠 먹다가 입술을 스치고 싶었어요. 대동강변을 산보하며 언니가 아는 걸 모두 전해 듣고 싶었어요.

사는 게 쓰디쓸 때마다 평양에서 한 경평전의 추억을 포켓트 속의 초콜릿처럼 꺼내 입안에서 굴리고 싶었어요. 단단한 땅 위를 달리던 건각들과 칼날처럼 공기를 베고 날아가던 뽈을 떠올리면서요. 레드비로드와 블루스타킹이 투지 넘치게 서로를 까면서 플레이하던 장면을 되새기고 싶었어요.

언니가 권옥과 뽈을 다투고, 저는 입으로는 권옥

에게 작전 지시를 하면서 마음으로는 언니를 응원했겠지요. 막순이 언니의 앞길을 가로막을 적에 블루스타킹 구락부 수비수는 뭐 하고 있나 원망도 했겠지요. 경기가 끝나고 언니네 집에서 언니의 머리칼처럼 검게 윤기 도는 면발에 언니가 담갔다는 동치미를 얹어 삼킬 때에 왠지 목이 메었겠지요. 지금 혼자 냉면을 삼키며 그러하듯이요. 왜 언니랑 같이 있을 때면 왠지 불안했던 걸까요. 언니는 제가 불안해하면 "얘, 괜찮니." 하며 등을 두드려 줄 터인데요. 훌훌 넘어가던 면발이 목에 콱 막혔어요. 육수는 차가운데 목구멍이 뜨거웠어요. 갑자기 두려웠어요. 어쩌면 앞으로 영영 언니랑 축구할 일이 없을까 봐서요. 언니와 제가 나란히 조선 대표 선수단으로 뽑혀 동경 올림픽에 출전한다는 소망이 단지 망상으로 끝날지도 모른단 생각이 불현듯 들어서요. 제가 꼴키퍼로서 언니를 뒤에서 지켜 줄 수 있을까 하는 의심이 솟아나서요. 언니가 지금 제 옆에 있다면, 제 마음도 모르고, 아지노모토 뺀 맛에 적응이 안 된 거라며, 싸구려 감칠맛보다는 슴슴한 조선 맛이 진미라며 경성 촌년이라고 놀려 댔겠지요.

제가 경성에서 올림픽을 기대하였듯이 언니도 동경에서 이방인의 입장으로 백림 올림픽의 분위기에 휩쓸렸겠지요. 저는 레드비로드 구락부와 조선인의 긍지를 드높일, 일장기를 단 선수들을 응원하였지요. 일본 축구단이 서전 군을 이길 적에 조선인 선수가 결승꼴에 어씨스트를 했다는데 그 선수는 어떤 심정일까요. 득의양양해져 그 선수를 '축구의 신'이라 부르며 응원하는 조선인들 앞에서 일본인들이 천진한 낯으로 '축구계의 혁명적 비약'이라고, 그 조선인 선수가 일본의 자랑이라고 했다는 걸 알았을 때에요. 일본인 선수들의 네 글자 이름 사이에 뭔가 빈 듯한 세 글자 조선 이름이 쑥 들어간 선수 명단을 볼 때에요. 우리 구락부는 차라리 올림픽이 속히 끝나 버리기를 바랐습니다. 아무 생각도 하지 않고 아무 소식도 듣지 않을 수 있게요.

올림픽 마지막 날 우리는 선생님의 허락을 득하여 거리로 나왔습니다. 거리에서 방송되는 라디오 중계를 들으러 자정에 길을 나섰지요. 벌써 거리에는 사람들이 드글대었습니다. 현지의 일본인 아나운서는 연신 '손 키테이'를 연호하였지요.

'손기정'이 '손 키테이'가 된 것처럼 나도 올림픽에 나가려면 '경희' 대신 '쿄코(京子)'가 되어야 할까요. 마라손은 개인 경기라 그는 메달을 득할 때 '키테이 손'이라는 이름을 들어야만 했겠지요. 여기 사람들은 온통 그의 승리가 조선의 승리이며, 조선이 세계를 이겼다고, 조선의 강인함을 보라고, 우리는 더 이상 약소국이 아니라는데, 세계는 이 말들을 듣지 못하고 있겠지요.

신문사는 그의 옷에서 일장기를 지웠어요. 일장기를 지운 신문은 정간되었어요. 일본 국기를 지운 기자들은 해직당했지요. 기자들은 감옥에 갔고 신문사도 잡지도 줄줄이 폐간되었지요. 잡지광의 시대는 지나가고 있어요. 신문도 이제 '언론보국(言論保國)'을 합니다. 언니, 난 기자가 될 수 없는 걸까요. 조선 여자들이 스뽀츠 하는 얘기는 어디에 써야 할까요.

언니가 평양의 여학교를 졸업하면 기념으로 금강산도 가고 백두산도 가자던 약속을 한 손가락에 붉은 실반지를 매었어요. 베개를 나란히 베고 했던 말을 꿈속에서 되뇌어요. 경성에서 다시 만나면 기차를 타고 만주와 노서아를 거쳐 구라파와 미국까지 끝없이 가 버리자던 속살거림이 귓가에 달콤한 환청처럼 남아 있어요. 나는 조선말이 아닌 영어로 또는 외국의 말로 능숙히 기사를 쓸 수 있게 될까요. 모든 선수들의 유니폼에서 국기를 다 지워 버리면 어떻게 될까요.

언니, 독립이 오면 제일 먼저 레드비로드와 블루스타킹으로 만나 못다 한 승부를 내어요. 뽈 하나를 두고 같이 차요.

소화 11년(1936년) 8월 16일
경성의 경희로부터

추가 시간

경희에게

나는 이제 평양말을 거의 잊었다. 너는 서울말을 아직 기억하니. 내가 유학을 가고 우리 집이 이사를 하고 네가 경성을 떠나면서 연락이 끊겼지. 나는 손을 들어 나무 끝을 가리켰는데 너는 달로 가 버렸다. 남쪽의 고향에서 경성으로, 평양으로, 국경 너머로, 너는 계속 멀리 갔다.

너는 졸업 후 현해탄을 건너 내가 기거하던 다다미방에 찾아왔다. 너는 조선을 떠나고 싶어 했다. 축구 유학을 가고 싶어 했지. 전쟁 때문에 미국으로도 구라파로도 가기 어려웠던 시절이었다. 너는 한숨 쉬며 중얼거렸다.

"레드비로드도 블루스타킹도 졸업하니 뿔뿔이 흩어지구. 신문도 이제 지리멸렬하구. 내 꿈은 그냥 허세고 객기였나 보아요."

그래두 희망을 가져 보라고, 나는 병자에게 모루히네 주사 놓는 소리나 했다. 달리 할 말이 없었다. 왜 축구에는 열한 명씩이나 필요한지 모르겠다. 둘만으로 할 수 있었다면 좋았을 텐데. 거기서 그쳤으면 차라리 좋았을걸. 네가 풀 죽어 있길래 나는 '북방의 기개'로 한마디를 보탰다. 정 그러면 레드비로드 구락부 만들었듯이 여자 축구단 하나 만들면 되지 않냐고. 네 눈이 반짝였다. 창경원 벚꽃잎 아래서 입을 맞추고 난 직후처럼.

"축구하기에는 경성보다 평양이 낫디."

평양은 낯선 것을 두려워하지 않았다. 기독교도 축구도 별 거부감 없이 받아들였다. 여자 축구도 그럴 것이다. 평양의 여자들은 공장 노동자라면 아이 손 잡고 경평전 보러 오고, 기생들이면 온습회[61]를 열어 기금을 마련해서라도 선수들 경비 보태 주고, 여학생들이면 축구 우승기에 자수를 놓았다. 블루스타킹 구락부가 그랬듯이 축구공 차는 것도 분명 좋아할 거라 했다.

"언니, 유학 마치면 평양으로 돌아와요. 그때는 나랑 언니랑 같은 축구단에서 뛰어요."

시대는 늘 우리 앞에서 스텝 오버를 했다. 우리는 번번이 당했다. 독일 올림픽 다음 해인 1937년 일본이 중일전쟁을 선포했고, 학교에선 황국식민 체조를 했다. 1938년부터 체육대회 때 궁성요배[62]를 하고 <기미가요>를 제창했다. 레드비로드 구락

61 학습 결과 발표회.

62 일본 천황의 궁이 있는 곳을 향하여 절을 올리는 것.

부도 블루스타킹 구락부도 1940년 개최될 예정이었던 도쿄 올림픽엔 나가지 못했다. 전쟁 중이던 일본은 올림픽 개최를 포기했고, 1939년 제2 차 세계대전이 발발했다. 1942년 대학과 전문학교에서 구기 경기가 폐지되고 중등학교에선 체육 대신 교련을 했다. 너는 평양에서도 축구를 할 수 없었다.

너는 스뽀츠 기자가 되지 못하고 평양에서 교원이 되었다. 신문이 줄줄이 폐간되니 어찌할 수 없었다. 내가 유학 마치고 돌아오면 같은 학교에 출퇴근하며 한집에 살자고 했다. 내가 하숙집을 옮긴 그 며칠 사이 네가 보낸 편지는 수취인을 놓치고 떠돌다가 행방을 알 수 없게 되었다. 그 무렵 너도 사라졌다. 어느 순간부터 내가 네 주소로 보낸 편지를 아무도 읽지 않았다.

네게 닿기 위해 레드비로드 부원들을 찾았다. 막순은 공장에서 죽었다. 레드비로드 선수들의 지원서를 받아 내고 너희들에게 공을 사 주었다던, 조선어, 일본어, 영어를 다 가르쳤다던 선생은 사나이가 전장으로 갈 때 여자는 공장으로 가 총후에서 보급 전쟁을 펼쳐야 한다고 연설했다. 선생은 졸업 후 갈 곳 없던 막순에게 공장을 알선해 주었다. 네가 기자가 되기를 희망하던 신문사의 사주가 운영하는 방직공장이었다. 형편없는 식사와 가혹한 노동에 주리고 병들어 죽었다던가 기계에 말려 죽었다던가 도망치다 잡혀서 맞아 죽었다던가. 언론사가 사주의 부도덕을, 민족 탄압을 기사로 쓰지 아니하였음에 너는 분개하였다고 했다. 네가 조선에서 기자 하기를 영영 포기한 이유의 어느 부분은 막순의 죽음에 있었다. 선생은 해방 후에 여성운동에 투신하여 여자대학의 교수가 되었다. 아무도 선생에게 당신이 학생들을 기만하였다고 말하지 못했다. 그들은 모두 죽거나 사라졌으므로.

왜 막순은 혜란이나 채윤처럼 살지 못했을까. 겨우 돈이 없어서. 동경에서 유학 중이던 혜란을 만났다. 혜란은 귀국 후 '살롱 드 헬렌'을 차리고 채윤은 양장점을 열어 둘이 같이 산다 했다. 채윤은 네 말대로 유쾌한 아이였다. 총독부가 흰옷을 금지하면 흰 웨딩드레스를 디자인하고 전시(戰時)에 일하기 편하라고 몸빼 필착령을 내리면 비로드에 자수를 놓은 화려한 몸빼를 만드는 '애국자'였다.

은조와 영선을 통해 너와 권옥의 소식을 들었다. 너와 권옥이 조선의용군에 합류했다고. 네가 거기서 선전전을 하고 있다고 했다. 담벼락에 항일 구호를 남기고 전단 문구를 쓴다고. 언론사에 들어가지 못했어도 그런 식으로 '언론인'이 되었구나 싶었다.

네가 꼴문 지키듯 지켜 준 나라에서 나는 독립을 맞이했다. 그 시절 땅을 팔아 독립 자금을 대고 간도로 떠났던 사람들이 돌아왔다. 우리 집안은 지주 계급이었다. 아버지가 쥐고 있던 땅은 내 학비가 되었고 일제의 군수품 공장 터가 되었고 인민의 땅이 되었다. 나는 평양으로 돌아가지 못하였다. 서울에 남아 체육학과에 입학했다. 권옥이 해방 후 서울에 왔다가 반민특위가 유야무야됨에 실망해 북한으로 갔고 거기서 숙청당했다는 소문을 들었다. 너는 서울에 오지 않았다. 연락이 닿지 않는 나를 찾아 평양으로 갔을 것이다. 나는 이미 없어진 우리 집으로 주소 없는 편지를 썼다.

해방되고 다음 해에 서울에서 경평전이 열렸다. 우리가 만났던 그날처럼 관중석에서 난동을 부리고 경찰이 공포탄을 쏘아 댔다. 혼란 속에서 너를 찾아 헤맸다. 경성운동장 관중 속에서 서로를 알아봤던 그때처럼 너를 찾을 수 있을 거라 확신했다. 네가 무엇이 되어 어디에 있건 단박에 너를 알아볼 거라고. 너는 그날 그곳에 없었다. 평양 선수단은 다음엔 평양에서 경기하자고 했다. 뱃길로 돌아간 평양 선수단은 다시는 서울 선수단과 경기하지 못했다.

3년 후에 남쪽에선 4개 여중과 1개 여고가 전국 여자 체육대회에 출전해서 축구를 했다. 난리가 났다. 나라가 독립되고 시대가 바뀌었는데도 학부모들은 여자가 축구하는 걸 반대했다. 나는 꿋꿋이 체육 시간에 여학생들에게 축구공을 주었다. 여자가 애도 낳고 총도 드는데 축구도 할 수 있지.

그다음 해에 전쟁이 터졌다. 은조는 전쟁통에 죽었다. 법조인을 꿈꾸던 애가 재판도 없이 즉결 처형을 당했다. 영선은 남에도 북에도 환멸 난다며 의사가 되어 미국으로 갔다. 미국 여권으로 북한에 갔다. 거기서도 널 찾을 수 없다고 했다.

피난길에 어린 너를 보았다. 부모를 잃고도 울지 않던 아기였다. 보자마자 사랑에 빠졌다. 내가 가장 사랑하는 아이를 가장 소중한 이름으로 불렀다. 나혜석의 성을 따서 붙였다. 경희, 나경희. 나는 그 이름을 자꾸자꾸 불렀다. 경희는 너를 닮았다. 자기가 뭘 원하는지 잘 알고 결단력 있었다. 내가 줄 수 있는 거라면 힘 닿는 대로 다 해 주었다. 네게 못 해 준 걸 다 해 주었다. 축구화와 공을 사 주었다. 냉면도 자주자주 먹여 주었다. 경희는 공부를 잘했다. 경희가 나와 헤어질 때의 너보다 나이를 먹고 나서야 그 애가 네가 아니란 걸 받아들일 수 있었다.

경희는 교수가 되었다. 축구도 기자 일도 하지 않았다. 어릴 때 꿈이야 자주 바뀔 수도 있으니까. 나한테는 여학생이던 시절의 너만 남아서 그런지 경희가 자꾸 어린애처럼만 보였다. 어느 날 그 애가 공부를 그만두고 냉면집을 차리겠다고 했다. 어용 지식인은 되지 않겠다고 했다. 최루탄 냄새 나는 학생들을 집에 데려와서 냉면을 말아 주던 아이였다. 뭐 하는 학생들이냐고 했더니 무슨 운동을 한다고 했다. 운동 좋지, 무슨 운동이건 열심히 해서 꼭 이기라고 했다. 냉면을 먹던 애들 중에 보나의 딸도 있었다. 보나는 농촌 개량 운동을 하다가 새마을운동에 빠지다 못해 '유신 철폐 독재 타도'를 외치던 딸과 척을 졌다. 경희는 보나에게도 갖다 주라며 냉면을 포장해 주었다. 경희는 나보다 냉면을 더 맛있게 만든다.

1983년에 KBS 방송국에서 이산가족을 찾았다. 1985년에 남북 이산가족 상봉이 이뤄졌다. 나는 너를 찾을 수도 만날 수도 없었다. 우리는 가족이 아니었다. 너와 나는 왜 그 혼란했던 시기에 혼인신고 그것 하나를 못하였을까. 우리 중 하나가 남자가 아니라는 이유 때문에. 남연도 승혜도 노라도 시집들 가서 평범하게 잘 사는데. 승혜는 '나의 여학교 시절'이라고 레드비로드 얘기를 써서 수필가가 되었다.

네가 승혜에게 맡기고 간 일기장을 내게 주며, 승혜는 말을 골랐다. 너와 나 사이를 표현할 말을. 그러다 그냥 아무 말 없이 일기장만 건넸다.

1990년에 남북 통일 축구 대회가 서울과 평양에서 열렸다. 왜 여기서는 남자 축구 선수를 '태극 전사'라고 하고 여자 축구 선수를 '태극 낭자'라고 하는지 영 마뜩잖다. 남자 축구단은 경기를 하고 여자 축구단은 합동 훈련만 했다. 스뽀츠는 승부를 내야 제맛인데. 레드비로드와 블루스타킹이 공 하나를 두고 전반전, 후반전, 연장전, 승부차기까지 가는 걸 보고 싶었는데. 북한 여자 축구단 선수 사이에서 네 얼굴을 찾으려 유심히 보았다. 너는 그곳에서 축구를 할 것이다. 북한 기자단 사이에 네가 있을 것이다. 북한 여자 축구단이 남한 여자 선수들을 기깔 나게 잘 깠다고 기사를 쓸 것이다. 북조선과 남조선이, 북한과 남한이 여자 축구를 할 때마다 선수들 사이에서, 기사의 행간에서 너를 찾는다.

경희야, 언젠가 여자 축구 경평전을 하면 응원하러 가자. 네 발에 축구화를 신겨 줄게. 술을 마시고 냉면을 먹고 창경궁으로 산보를 가자. 벚꽃잎이 보름달만큼 커다란 곳으로. 편지의 향내는 날아갔지만 너의 검은 머리카락을 간직하고 있단다. 나의 백발을 보낼게. 키쓰를 보낸다. 답장을 다오, 경희야.

2018년 4월 27일[63]

---

63 2018년 제1 차 남북 정상회담일.("멀다고 하면 안 되갔구나."라는 발언으로 유명해진 바로 그 회담이 열린 날.)

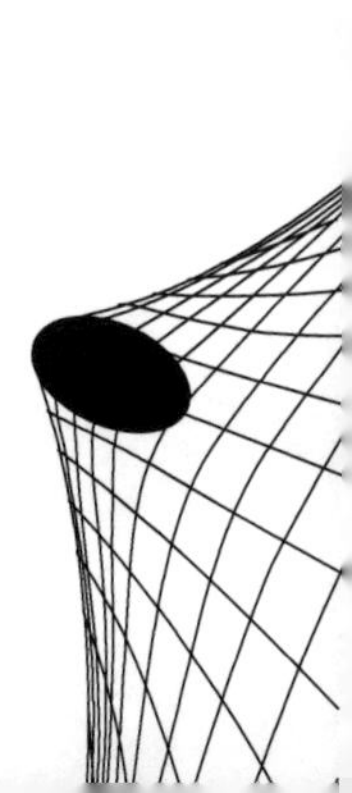

어둔 방은 우주로 통하고

64

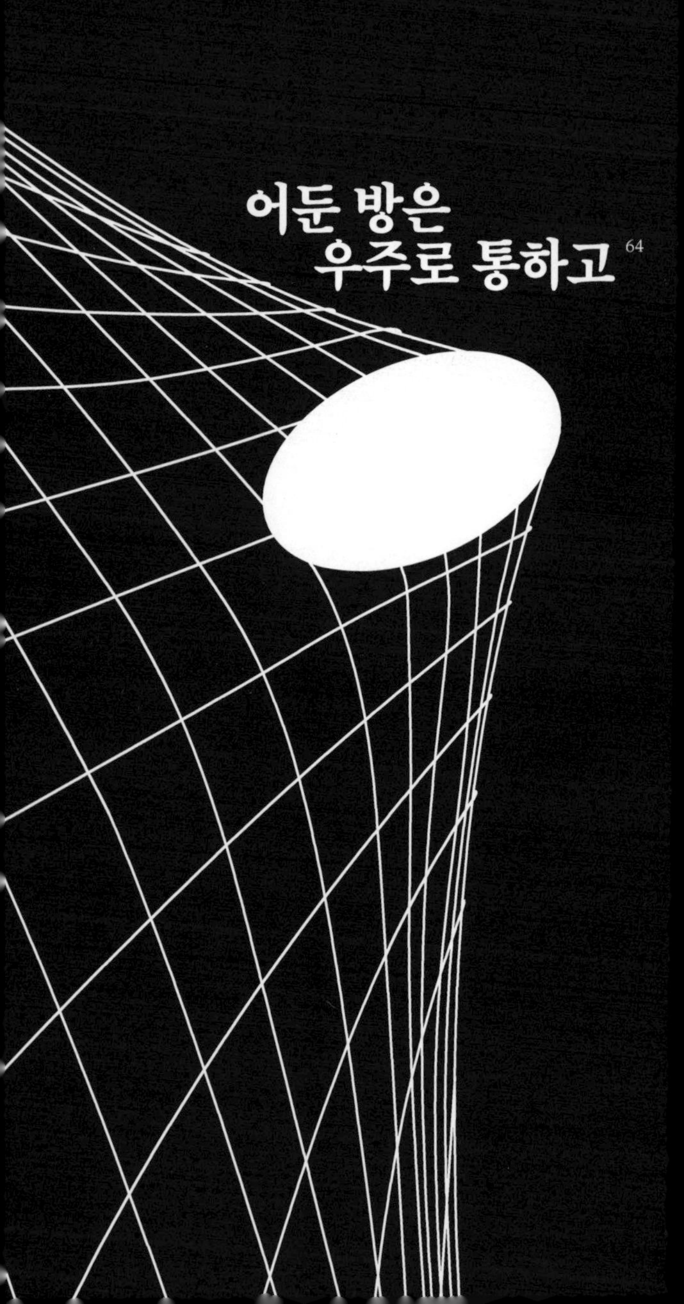

64 윤동주 시인의 시 <또 다른 고향>의 한 구절.

1. 별을 노래하는 마음으로[65]

- 조이 -

청계천 북쪽의 조선인 상점이 어둠에 잠기고 남쪽의 일본인 백화점에 네온사인이 빛나면 요릿집에선 신사가 기생을 안고 골방에선 암살을 설계하고 형무소의 사형장에선 시구문[66]이 열리고 간판 없는 병원의 불이 켜진다.

"살려라."

병원의 규칙에 따라 소독한 의사 외에는 아무도 수술실에 들어올 수 없다. 간수는 한 마디 명령만 남기고 대기실로 나간다. 간호부도 없이 의사 혼자 경영하는 이 병원에선 아무것도 묻지 않는다. '환자'가

---

65 윤동주 시인의 시 <서시>의 한 구절.

66 시신을 내가는 문.

누군지 왜 이렇게 되었는지 왜 살려야 하는지.

"아으아 으어어 으이어어…."

혀를 절반이나 끊은 환자가 내뱉는 유언을 단번에 알아듣는다. '내 육체는 죽여도 정신은 죽일 수 없다.'

"안 죽인다니까."

마취가 풀리자 혀가 봉합된 환자가 내 얼굴에 피 섞인 침을 뱉는다.

"피도 눈물도 없는 년!"

나는 얼굴을 닦아 낸 손을 핥는다.

"네년은 인간도 아니야!"

간수를 부른다.

"찔러도 피 한 방울 안 나올 년!"

환자에게 용수를 씌우고 수갑을 채우던 간수가 나를 돌아본다.

"찌르면 일본 피가 나올 년."

환자가 맞고 간수가 틀렸다. 나에게는 성(姓)이 없다. 내 이름은 세 글자도 네 글자도 아니다. 나는 '조이'. 일본인에게는 흔한 조선 여자 이름. 조선인에게는 서양 이름으로 '기쁨' 또는 '생명'. 나는 일본인도 조선인도 아니다. 괴물이다. 환자가 떠난 차가운 철제 수술대에 고인 피로 연명하려고 형무소 뒤에 병원을 차린.

#

별 하나 없는 밤에 응급 환자가 실려 왔다는 소식에 의사 가운의 소매에 팔을 꿰며 수술실로 뛰쳐 들어왔다. 얼굴까지 덮은 흰 천을 걷자 입에 재갈을 문 채 묶인 몸을 들썩이며 악취를 토해 내는 젊은 남자가 있다.

"주, 죽여, 제발, 죽여, 반드시…."

고문당하기 직전의 수인처럼 공포에 질린 채 말하는 간수의 눈에는 초점이 없다.

"나는 살린다. 죽이는 건 당신의 일이다."
"저, 저건 괴물이야! 아, 아무리 해도 주, 죽지를 않아!"

'괴물' 그 한 단어에 금기를 깨고 물었다.

"입안은? 치아는? 혀는?"
"아무것도, 아, 아무것도 없… 없어! 스, 스스로 자해를… 사, 사람은, 이해할 수 없는 짓을…"

간수의 입에서 침이 튀었다. 깨물면 사람 피가 나올 놈. 핏발 선 눈, 하루 만에 하얗게 세어 버린 백발. 입에 거품을 물고 사지를 떨던 간수는 제 공포에 질식당해 혼절했다. 주사기로 피를 뽑아 마신다. 조선인이나 일본인이나 사람 피 맛은 다 빨간 맛이다.

수술대에 손발이 묶인 '괴물'의 오른팔에는 주사 자국이 무수하다. 치아가 없는, 아무것도 공격할 수 없는 포식자도 괴물인가. 나와 같은가 다른가. 입에 물린 재갈에서 역한 시취[67]가 쉼 없이 흘러나온다. 검게 물든 재갈을 푼다. 각혈하듯 울컥 시즙[68]을 토한다. 흰 의사 가운에 검은 얼룩이 번진다. 몸부림치던 환자는 목으로 몸을 지탱하여 상체를 일으킨다. 환자의 허리를 받친다. 환자가 내 소매를 움켜쥔다. 아기가 반사적으로 손에 닿는 걸 꽉 잡듯이. 환자의 고개가 젖혀진다. 아래턱이 내려가고 입이 벌어진다. 차갑지 않도록 천으로 덮어 두었던 청진기를 가슴에 댄다. 심장이 뛰지 않는다. 흡혈하듯 가만히 목을 물어 본다. 경동맥도 고요하다. 손끝을 찌른다. 조선인의 피도 일본인의 피도 나오지 않는다. 환자의 입을 나의 입술로 단단히 막는다. 베니[69]가 지워진 핏기 없는 입술로. 목구멍에서 용암수처럼 솟아나는 시즙을 받아 삼킨다. 환자의 입이 마른다. 벌어진 입안은 공허한 암흑이다. 혀도 치아도 아무것도 없는. 나와 닮은 형상의 입에 숨을 불어 넣는다. 나의 혀를 그 입안에 넣어 말한다. 태초에 언어가 있었다.

"빛이 있으라. 나의 괴물아. 네가 나를 닮았으니 내가 보기에 심히 즐겁다. 내가 너를 '가이'라 이름하리라."

가이. 조선말로 '사람'. 영어로 '사내'.

가이가 눈을 뜬다. 오롯이 나만을 응시한다. 그 눈으로 말한다. 나는 그 말을 다 알아듣는다. 이 병원에서 그런 말을 너무 많이 들어 왔다.

---

67 시체에서 풍기는 악취.

68 시체가 썩어서 흐르는 물.

69 립스틱.

'내 몸이 나를 가둔 감옥이 되었습니다. 손톱부터 발톱까지 나의 온몸이 나를 고통으로 잠 못 들게 합니다. 내 몸이 조각조각 분절되어 비명을 지릅니다. 나는 살과 뼈와 피로 이루어진, 피 흘리고 찢기고 다치는 나의 몸을 원망하고 증오합니다. 그러니 나를 이 고통에서 해방시켜 주십시오. 저들이 원하는 말을 하지 않게, 제발 나를 죽여 내 입을 막아 주십시오. 내 몸이 나를 약해지고 악해지게 하지 않도록.'

"나는 죽이지 않는다."

'당신과 나는 죽은 사람을 살리지 못하고 죽어야 할 사람을 살리는 괴물들이지요.'

가이의 목을 물었다. 피가 나오지 않는 목을. 공갈젖꼭지를 무는 아기처럼.

"나는 너에게, 너는 나에게 완벽하게 면역되었다. 우리는 서로를 물어도 감염되지 않는다."

아직 깨지 않은 간수를 끌어다 수술도로 목을 긋고 피를 받아 마신다. 내가 피를 마시니 너는 살을 먹어라.

'나는 이가 없어 먹지 못합니다. 내가 스스로 내 구강을 상하게 하였습니다. 아무도 죽이지 않으려고. 사람을 먹으면 돌이킬 수 없이 정말로 괴물이 되고 맙니다.'

"나는 산 사람은 물지 않는다. 그러면 물린 사람이 나 같은 괴물이 되니까. 나는 이미 몸 밖으로 흘러나온 피만을 마신다. 너도 그리하여라."

'나의 단식은 투쟁입니다. 그들이 나를 괴물로 만

든다 해도 나는 누구도 해하지 않고 사람으로 죽겠다는. 나를 존중한다면, 나를 죽여 주십시오.'

피가 모두 빠져나간 간수의 시체를 해부하여 포르말린 용액에 방부 처리한다. 분리되어 병 안에 담긴 안구와 심장, 절단되어 근육과 피하지방을 드러낸 팔다리, 절개되어 내장을 노출한 토르소[70]를 보고서는 아무도 원래의 몸을 떠올릴 수 없을 것이다. 함부로 골절되어 관절의 가동 범위를 넘어선 골격을 보고 쉽사리 인간의 백골임을 예상치도 못할 것이다.

"가이야, 일어나라. 나와 함께 가자."

- 가이 -

내가 수감된 경위가 궁금하지 않으십니까. 나는 아무것도 하지 않았습니다. 독립운동을 하지도 않았고 지원병으로 가지도 않았습니다. 검사가 들이민 혐의도 나는 전혀 모르는 일입니다. 다만, 피검 며칠 전 친구가 찾아온 일은 있었습니다. 학창 시절 동인지를 함께 펴냈던 문예 조직의 회원이었는데 그즈음에는 신문사 기자로 있었습니다. 오장(伍長)[71] 마쓰이 히데오[72]를 기리는 시를 청탁하러 왔지요.

"조선인 카미카제 중에 첫 전사자가 나왔으니 마땅히 전 조선이 그 충혼을 기려야 하지 않겠느냐 말이다. 갓 스물의 젊은이가 입때까지 2500만 조

---

70 머리와 팔다리 없이 몸통만으로 된 조각상.

71 군대 한 오의 우두머리.

72 조선인 최초의 카미카제 순직자로 알려진 인물.

선인이 못 했든 장한 일을 했는데. 왜 대답이 읎어. 너 학교 다닐 때 맨날 하늘 보면서 몽상이나 하드니, 아직도 장가를 못 들었으믄, 이 친구야, 이 기회에 고료도 벌구, 차차 이름을 날려 가믄서 장가갈 돈두 마련해야지 않아. 백 날 천 날 하늘만 보믄 돈이 나오나 떡이 나오나 아님 달에서 선녀라도 내려온다든?"

"글쎄, 난 요새 하늘 안 본 지 오래되었다. 시두 안 쓴지 한참 되었어."

"작가는, 마감이 닥치면 다아 쓰게 되어 있어."

나는 나 잘 살자고 다른 사람 죽으라는 시를 쓰는 게 사람이 할 짓이냐고 일갈하지도, 청탁을 받아들이지도 아니하였습니다. 친구가 다시 채근하려 하기에, 말을 돌렸을 뿐입니다.

"근데, 너는 괜찮으니. 순수시 쓰든 녀석이 매일신보[73] 기자 노릇 하는 게."

친구는 한 갑에 15전이나 하는 비싼 카이다 담배[74]를 피워 물었지요.

"처자식두 먹여 살려야 되구, 연로하신 부모님두 나만 보구 계시구, 장남이라고 나 하나 대학까지 보내느라 형제들두 변변찮구, 취업 못 한 친척들 꾸역꾸역 찾아와서 손 벌리는데, 매번 빈손으루 돌려보낼 수두 없구. 나 혼자면 까페에서 한 잔 커피로 하루를 보내겠지만 이 많은 입들이 나 한 몸

---

73 조선총독부 기관지.

74 총독부가 조선에서 처음으로 발매한 궐련 담배. '카이다'는 '해태'란 뜻으로, 비싼 고급 담배였다.

에 아귀처럼 들러붙어 있는데 으쩌란 말이냐. 요즘처럼 실업이 만연한 때에 글 쓰는 재주 하나로 벌어먹을 수 있는 업이 기자밖에 더 있냐. 목구녕이 경찰서구, 배때지가 웬수지."

그러다 친구는 아차 싶었는지 얼른 주위를 둘러보았지요. 그때 까페에 사복 경찰이 있었는지는 모르겠습니다.

"이봐, 호시이(星井) 상, 궁성요배 싫다구 학교를 사직하지 않았어? 남들처럼 요령 있게 눈 딱 감구 딴생각하면 될 것을. 이제 어쩔 셈이야? 이런 시절에 룸펜이라니. 징집되지 아니하려면은, 어딘가에 적을 둬야 하지 않겠어? 아님 누가 뒷배를 봐주든가."

친구가 부러 창씨한 이름을 부를 때에 나는 어찌하였던가요. 실없이 얼빠진 웃음만 지어 보였던가요. 협박처럼 들리던 사근사근한 다그침에 뭐라고 어물거렸던가요.

"사직은 무슨. 조선어 수업이 없어져서 잘린 게지. 마침 유학 가서 공부하려고도 했구."
"그으래? 거 참 잘된 노릇이군. 기자 좋다는 게 무어야. 발 넓어서 각계 명사 알아 둔다는 거 아니겠냐. 내 하이바라(灰原) 선생님 주소랑 소개장 적어줄 터이니 찾아 뵙구 인사라두 드려 봐."

선생님이라면 조선에서 모르는 이가 없는 명사시지요. 어쩔 수 없이 창씨는 하셨지만, 젊으실 적에는 만세 부르고 옥고를 치르신 이력도 있습니다. 옥중에서 혀를 끊으며 저항하셨다지요. 출옥 후에는 일본과 미국에서 생물학을 공부하고 신문물을 경험하고 귀국하신 후 방방곡곡을 다니시며 문명 진보를 역설하셨지요. 그분 연설에 인생이 바뀌지 않은 청년은 없을 겁니다. 나도 어릴 적에 선생님의 연설을 듣고 진로를 정했지요.

#

소개장을 받아 들자마자 찾아간 선생님 댁은 정원에 온갖 꽃나무가 있고 방 안에 난초 화분이 가득한, 한옥을 개조한 양옥집이었습니다. 나는 별채인 서재로 안내받았지요. 선생님은 직접 차를 우리며 환대하여 주셨습니다. 초면임에도 대학에 추천서를 써 달라는 다소간 무례한 부탁을 하였으나 선생님은 노하지 않고 불쑥 내민 이력서를 찬찬히 보셨습니다.

"조실부모하고 친척집을 전전하다 연고 없는 경성에서 자리 잡느라 고생했겠구만. 경성에 고향 사람이나 친척 어른은 아니 계시나?"

"계시지 아니합니다만, 혹시 그게 걸림돌이 되겠습니까."

"아닐세. 내 자식 또래라, 안쓰러워 그랬네. 참 장하게 잘 컸네. 그런데, 지금 대동아전쟁이 한창인 마당에 왜 하필 미국을 가겠다는 건가."

"천문학을 공부하려고 합니다. 조선에는 마땅한 망원경이 없으니 미국 천문대에 가는 수밖에요."

"공부를 할 거면 당장 조국에 도움 되는 실용적 학문을 하게. 의학이나 광산학 말일세. 지금 시국에 천문학이 무슨 쓸모가 있겠나."

"천문학은 상상력의 영토를 넓혀 줍니다. 무한한 미지의 공간을 어찌 눈에 보이고 손에 잡히는 인체나 광물에 비하겠습니까."

"상상력의 영토가 뭐가 중한가. 아시아의 영토를 서양 악귀들로부터 지켜 내는 게 중하지. 천문학을 하려면 계산에 밝아야 하니까 식산은행[75] 같은 데 취업하는 건 어떤가. 아니면 황군 비행 부대에도 계산 인력이 필요한데. 그쪽으론 추천서를 써 줄 수 있네."

"광대한 우주의 몇 백만 광년 거리를 계산하면서 조, 경 같은 숫자를 다루다가 주판알이나 튕기면 시시하지 않겠습니까."

"자네는 앞을 보고 걸어가는 충량한 황국신민이 되는 것보다 하늘의 별이나 보며 공상에 빠져 걷다가 우물에 빠지는 천문학도가 되겠단 말인가!"

차를 다 마시지도 않은 채 찻잔을 내려놓고 서둘러 도망치듯 댁을 뛰쳐나왔습니다. 선생님은 조국과 민족을 사랑하고 염려하시는 민족의 큰어른 같은 분이신데 어째서 식산은행이나 황군 쪽에 추천서를 써 주실 수 있다는 것인지, ≪매일신보≫ 기자는 왜 지금껏 연락도 없다가 갑자기 찾아와서 청탁을 한 것인지, 어떤 인연으로 선생님의 주소를 가지고 있고, 왜 내게 선생님을 찾아가 보라고 하였는지, 선생님은 왜 한갓 룸펜에 불과한 나의 이력서를 그리도

---

75 조선총독부의 핵심 금융 기관. 산미 증식 계획에 자금을 공급했고, 중일 전쟁 기간에는 채권 발행 등을 통해 조선의 자금을 일본에 제공하는 역할을 했다.

꼼꼼히 보시었는지 갑자기 모든 게 의심스러워졌습니다. 이제 조선을 떠날 기회는 영영 놓쳤구나 하는 생각도 들었습니다. 공상과학소설에서처럼 오늘 밤 먼 우주에서 날 데리러 비행선이 오지 않을까 하는 헛된 망상이나 하다가 하릴없이 타달타달 달을 등에 지고 집 앞까지 걸어가니 뜻밖에도 순사들이 기다리고 있었습니다.

순사들은 취조실에 나를 함부로 처박았습니다. 취조실에서 나의 몸은 뭉개지고 문드러지고 짓이겨졌습니다. 나의 세계는 왜곡되고 굴절되고 축소되었습니다. 당장 고통을 멈출 수만 있다면 내 앞에 있는 자가 원하는 대로 무엇이든 다 말하고 싶었습니다. 나의 손발은 나를 위해 아무것도 할 수 없었고 나의 위장은 그 와중에도 굶주림을 호소했고 나의 피부와 근육은 나를 배신하여 그자의 뜻대로 상처 입고 경련하였습니다. 자유와 존엄을 박탈당했을 때 나는 내가 아니었습니다. 언어를 잃고 무의미한 비명을 지를 때 나는 사람이 아니었습니다.

아는 이름을 다 불라고 했습니다. 그런데 참말로 아는 이름이 없었습니다. 백 날 천 날 하늘이나 보고 구석에서 책 읽고 시 쓰는 조용한 사람한테 친구가 있겠습니까. 동창들을 하나씩 떠올려 봤지만 몇몇은 전쟁터로 갔고 몇몇은 경성에서 신원 확실한 직업에 종사하고 있고 몇몇은 형무소에 있고 몇몇은 이미 죽었으니 댈 이름이 없었습니다. 그제야 내가 왜 여기 있는지 알 것 같았습니다. 어쩌면 이전에 누군가 댄 아무 이름들 중에 불운히 내가 있었을지도 모릅니다.

편안해야 할 방이 감옥이 되고 기대야 할 의자가 나를 결박하고 공부하던 책상이 내 머리를 처박는 형틀이 되고 글을 쓰던 펜대가 손가락을 비틀고 매일 씻고 마시던 물이 숨을 막고 사람이 사람을 괴롭히는 괴물이 될 때 일상은 신기루처럼 허물어지고 나를 둘러싼 모든 것이 다시는 이전과 같지 않게 됩니다.

간절히 우주를 상상했습니다. 취조실의 의자가 우주선의 좌석이 되고 족쇄와 차꼬[76]가 우주복이 됩니다. 낮과 밤의 주기가 지구보다 훨씬 짧아서 뜨겁고 차가운 대기가 수시로 순환하는 별에 불시착합니다. 중력이 너무나 강해서 한 발짝 내딛는 걸음이 지구에서보다 몇 배나 무겁고 의식이 흐려집니다. 대기 중에는 산소가 희박하여 머리가 아프고 숨을 쉴 수 없지요. 기압 변화가 심하여 몸이 짜부라들고 눈이 튀어나올 듯하고 욕지기가 치밀고 귀가 찌를 듯이 아파 옵니다. 외계인은 그들의 언어로 말을 겁니다. 지구인의 귀에는 욕설과 고함처럼 들립니다. 나도 그들의 언어로 신호를 보냅니다. 모르는 사람이 들으면 비명과 신음처럼 들리겠지요.

외계인은 내 눈앞에 명단을 흔들었습니다. 무슨 비밀 동맹 맹원들이라고 했습니다. 내가 아는 이름을 대라고 했습니다. 아는 글자로 적힌 이름을 보면서 나는 지구로 귀환했습니다. 내가 하늘이나 보던 동안 그들은 무얼 하고 있었을까요. 남들이 상해, 만주, 간도에서 떠돌거나 끌려간 전쟁터에서 죽어 가

---

76 죄수가 움직이지 못 하게 발목에 채우는 형구.

거나 감옥에서 고문당하거나 지하에서 투쟁하는 동안 나는 무얼 했던 걸까요. 아는 이름들을 하나씩 불렀습니다.

아르크투르스

스피카

데네볼라[77]

봄 밤하늘 길잡이 별들의 이름을요.

내 재판에는 변호인이 없었습니다.

나는 모든 혐의를 시인했습니다.

아무것도 하지 않은 게 나의 죄입니다.

---

77 봄의 별자리를 찾는 데 길잡이 역할을 하는 별들.

밤이 어두웠는데 눈 감고 가거라[78]

\- 조이 -

어둡고 차가운 병원을 떠나 밤을 낮처럼 밝힌 가로등과 네온사인이 빛나는 본정[79]의 거리를 걷는다. 가이와 나란히 조지야, 미나카이, 미쓰코시 따위의 이름이 붙은 백화점을 발 없는 귀신처럼 부유한다. 가이의 얇은 수인복을 한 벌씩 양장으로 바꾼다. 챙 넓은 모자로 입 없는 얼굴에 그림자를 드리우고 단장으로 절룩이는 걸음걸이를 감추고 향수를 들이부

---

78 윤동주 시인의 시 <눈 감고 간다>의 한 구절.

79 지금의 서울 충무로. 일본 상점들이 많이 있던, 경성 최고의 번화가.

어 시취를 은닉한다. 불안한 걸음을 감춘 괴물들이 인간들 사이를 활보한다. 까페로 딴스홀로 춤과 노래와 생생한 활기가 있는 곳으로 정처 없이 방황한다. 오늘 밤도 간수들은 병원의 닫힌 문을 두드릴 텐데. 어젯밤에 내가 없는 병원에서 누군가 죽었을 텐데. 내일 밤에 형무소에서 누군가 시구문을 지날 텐데. 바깥은 이리도 아무 일 없는데.

가이의 세비로 양복[80] 깃을 만져 보며 생각하기를, 조선에 온 이후로 사철 내내 하얀 가운을 입고 병원과 집만 오갔는데 나도 이제 가운을 벗고 코트를 걸쳐 볼까 핸드백을 들고 양산을 써 볼까, 했다가 질끈 눈을 감는다. 내 피부는 햇빛 아래 나설 수가 없는데, 양산이며 코트며 핸드백 따위가 다 무슨 소용인가. 앞으로도 영원히 어디에서나 내 옷은 희디흰 의사의 가운일 것이다. 내 코트 대신 가이의 망원경을 산다.

우리는 여느 아베크족[81]처럼 팔짱을 낀다. 평범한 연인들의 흔한 연애처럼 백화점 경양식당에서 돈까스 정식을 주문한다. 서양인처럼 교양 있게 나이프와 포크를 들던 가이가 이 없는 입을 자각한다. 돌멩이나 진배없는 짐승의 고기 앞에서 가이와 나는 호리병을 접대받은 여우, 접시를 대접받은 두루미가 된다. 맹렬한 허기와 피로가 급습한다. 지금 당장 화장을 지우고 모자와 단장을 던지고 인간들을 유혹하고 싶다. 나를 봐. 너희들이 모르는 걸 알게 해 줄

---

80 모던 보이들이 입던 양복.

81 연인 관계의 남녀 한 쌍. '~와 함께'라는 뜻의 프랑스어 avec에서 유래했다.

게. 인간의 피와 살이 괴물을 얼마나 지혜롭게 하는지. 너희가 내게 심장과 뇌를 준다면. 가이가 내 손을 잡는다.

가이는 묻는다. 인간은 무엇으로 사냐고. 나는 답한다. 인간은 이유가 있어야 사는 합리적 동물이라고. 거대한 죽음 앞에서 미약한 인간은 신 또는 괴물을 불러낸다. 신에게는 경외를 괴물에게는 혐오를. 신에게는 숭배를 괴물에게는 배척을. 가이는 말한다. 신을 죽이고 괴물을 지우기 위해 인간은 과학을 발전시켰다고. 죽음을 정복하진 못하지만 죽음의 원인을 밝히고 죽음을 예방한다고. 더 이상 마마신[82]을 위해 굿을 하고 나병을 고치기 위해 어린애의 골을 먹지 않는다고. 이제는 미개에서 벗어나 위생을 개선해 수도를 끌어오고 뒷간을 소제함으로써 호열자[83]를 막는다고. 나는 웃는다. 나를 보라고. 내가 의학으로 무슨 짓을 하고 누구를 살리는지. 과학이 누구를 위해 봉사하는지. 위생은 나병 환자를 격리하여 단종시키고 군인의 매독을 예방하기 위해 민간의 소녀들을 끌고 간다고. 의학은 미신과 굿과 금기보다 잔인하다고. 너를 보라고. 네가 어떻게 만들어졌는지. 누가 너와 나를 죽지 못하게 하는지.

인간의 옷은 입을 수 있으나 인간의 음식은 먹지 못하는 자들의 연애란 재미스럽지 않다. 인간의 마음을 버리지 못하고 괴물이 된 가이와 괴물의 마음으로 인간인 척하는 나에게는 감옥처럼 칸칸이 구

---

82 천연두.

83 콜레라.

획된 나의 아파트밖에 갈 곳이 없다. 아파트 거실에는 수술대처럼 차가운 침대밖에 없다. 그 위에서 가이는 죽은 듯 눈을 감는다. 피부의 타박상과 찰과상과 자상과 화상 흉터를 지운다. 이전에 어떤 수감자가 일본인 경찰을 취조와 수감 과정에서의 고문 등 가혹 행위로 고발한 이후 나는 종종 이렇게 증거를 인멸하는 일을 맡았다. 눈을 뜬 가이가 매끄러운 나신을 부끄러워한다. 나도 가운을 벗는다. 두 몸이 한 몸을 이룬다. 죽지 않는 존재들이 서로를 물고 만지는 가운데 두려움과 선악을 잊는다. 인육과 혈액 대신 서로를 탐하며 서로의 체액을 먹고 마신다.

가이는 내 품에 얼굴을 묻고 마음을 묻는다. 눈물이 맨살에 묻는다. 나에겐 사랑하는 사람이 없었냐고. 사랑하는 사람을 괴물로 만들어 곁에 두지 않은 이유가 무엇이었냐고. 나는 답한다. 네가 사람을 먹지 않는 이유와 같다고. 사랑하는 이를 물어 나와 같게 하면 이미 사랑이 아니라고. 그러면 정말로 괴물이 되고 만다고. 가이는 나를 안으며 말한다. 내가 부끄럽고 당신이 불쌍하다고.

외양으로 인간을 속여도 그 자신의 마음은 속일 수 없는 괴물들은 낮에는 햇빛과 인간을 피해 아파트에 고립되어 커튼으로 빛을 가리고, 밤이 되면 밝아진 눈으로 별을 본다. 가이는 밤마다 높은 아파트에서 망원경으로 더 높은 하늘의 빛나는 달을 관측한다.

가이는 날이 갈수록 달을 닮아 간다. 낮 동안 아무리 환부를 소독하고 약을 발라도 밤이면 상처가 벌어지고 고름이 흐른다. 알코올로도 시취를 덮을 수 없다. 온몸이 점점이 검게 상한다. 살이 패이고 괴저 부위가 늘어난다. 시즙이 새어 나와 바다처럼 고인다. 달이 쇠하듯 몸이 야윈다. 초승달처럼 미소 짓는다.

'무수한 운석이 날아와 내게 충돌했지요. 공기가 없는 곳에선 아무것도 할 수 없었지요.'

가이는 검어지고 나는 하얘진다. 내 몸으로 가이를 가린다. 월식(日蝕)의 '식(蝕)'은 썩어 가는 상처를 뜻하는 글자라며, 가이는 보름달처럼 환히 웃는다. 월면도[84]를 펼치듯 활짝 벌린 가이의 몸을 두고 우리는 유희처럼 상처에 하나하나 이름을 붙인다.

티코 플라토 케플러 코펠니쿠스 알폰수스 페타비우스[85] 같은 철학자와 신학자와 과학자의 이름들과

고요의 바다 거품의 바다 풍요의 바다 구름의 바다 인식의 바다[86] 같은 검은 바다의 이름들을.

달에는 공기가 없어 운석의 상처가 영원히 그대로 남는데, 지구에는 공기가 있어 상처가 번진다. 죽을 인간은 살려 봤지만 죽은 인간을 부활시킨 적은 없어서 삭망[87]도 지나지 않아 절망하고 만다. 잇새로 비밀이 새어 나가듯 굳게 닫은 창문과 문틈으로 시취가 새어 나간다. 변색되고 떨어져 나가는 가이의 손에 내 손을 겹치며 다짐한다. 내 손을 더럽혀서라도 너를 살리고 말겠다.

"범이 소를 먹고 소가 풀을 먹듯이 나는 인간의

---

84 달의 지형을 나타낸 지도.

85 달의 크레이터들의 이름.

86 달의 바다들의 이름.

87 음력 초하루와 보름날.

피를 마시고 너는 인육을 먹을 뿐이다. 무엇이 문제가 되느냐."

'소가 고기를 먹으면 미쳐 버립니다.'

"인간이 아니라 인육이다. 사람이 아니라 시체를 먹는다. 신이 존재하지 않듯이 죽은 자에게는 영혼이 없다. 나의 경험에서도 너의 사상에서도."

'살아 있었던 사람에 대한 예의와 살아남은 사람을 위한 위로를 훼손할 수는 없지요.'

"그것이 생존보다 가치로운가."

'나는 '목구멍이 경찰서고 배때지가 원수'라는 명분을 듣고 싶진 않아요.'

"네 명분이 내 소망보다 강렬한가."

'약하지요. 그러나, 괴물에게 정당함과 도덕과 기품이 없다면 악인과 다를 게 무엇입니까. 내가 괴물이 아니라 악인이었다면 나를 구하셨겠습니까.'

"내가 사람이 아니라 괴물인 건 네게 어떠한가."

'우주의 혜성이 대기권 안으로 들어오면 유성, 유성이 지상으로 떨어지면 운석이 됩니다. 모양과 이름은 다르나 다른 별은 아니지요.'

#

열리지 않는 아파트 문에 매일 새로운 쪽지가 붙는다. 청국장은 집 안에서 띄우지 말고 화장실 소제는 제때 하고 명태나 홍어는 실내에서 말리지 말라는 일본인 이웃들의 항의다. 밤늦게 들이닥친 순사가 집 안을 수색한다. 이웃이 조센징의 체취를 견디다 못해 신고를 했다고 한다. 맨몸에 가운 단추만 채운 채 순사의 뒤통수에 혀를 쑥 내민다. 급하게 속옷만 꿰어 입고 누워 죽은 척하는 가이는 숨 대신 웃음을 참는다. 가이의 시취에 코를 싸쥔 순사의 눈앞에 형무소에서 보증한 내 신분증을 흔든다. 순사는 가이가 이름 없는 조선인 수형자임을 확인한다. 다년간의 과학수사에서 귀납적으로 확인한 범죄자의 두상이라고 아는 척 거들먹거린다. 형무소에서 연구 목적으로 반출된 시체라는 해명에 순사가 돌아간다.

빼꼼 열린 문틈으로 우리 집을 관찰하던 옆집 어린아이와 눈이 마주친다. 인형처럼 빨간 기모노를 화려하게 차려입은 아이가 어른 흉내를 낸다. 앙증맞은 입을 오므려 '요보[88]' 라고 소리 없이 말한다. 나도 입 모양으로 말한다. '조이'. 아이가 문을 닫는다. 아파트의 모든 문들이 '요보'라고 합창한다. 이제 더는 아파트에 머물 수 없게 되었다. 오염과 악취를 따라 토막촌(土幕村)[89]으로 옮겨 간다. 가이의 명분과 내 소망이 충돌하는 격전지로. 발밑에 무덤을 두고 손 닿는 곳에 죽음을 둔 불법 거주자들의 동네로.

#

경부선 기차가 영등포 공장으로 향할 때 기차 아래선 연인들이 손을 잡고 정사(情死)[90]하고 한강 철교 위 행락객들이 나들이할 때 실연에 시름하는 청춘은 투신하며 고향의 논밭이 군량미 생산 기지가 될

---

88 조선인에 대한 멸칭.

89 비싼 집값을 감당하지 못한 사람들이 거적과 흙 등을 이용해 지은 토막이 모여 있는 곳.

90 연인이 뜻을 이루지 못해 함께 목숨을 끊음.

때 실향민들은 경성의 공동묘지 위에 거적으로 토막을 짓는다. 땅을 바닥으로 삼고 거적으로 벽을 세운다. 직립하는 경성의 문화주택 아파트 백화점 너머에 웅크린 석기시대의 움막이 있다.

구덩이만 겨우 파 놓은 공동변소에서 귀신은 어린애를 놀래키고, 겻불에 몸 붙인 채 자는 가족의 악몽 속에 발진질부사[91]를 초대한다. 소금물에 적신 시래기 반찬과 보리밥만 놓인 밥상에는 아귀가 겸상하여 한숨 소리에 결핵 기침을 뱉는다. 혼탁한 굴정[92] 안에선 수귀(水鬼)가 학질[93]에 체머리를 흔든다[94]. 사철 헐벗은 아이들의 땀내와 공중변소의 지린내와 1년에 목욕 한 번 제대로 못하는 세민[95]들의 체취 속에 시취는 거연[96]해지고, 네온사인 대신 퍼런 도깨비불이 빛나는 산비탈 무덤 위 토막촌에는 주사 자국 같은 별이 찬연하다. 나는 토막촌에 '알박기'를 한 기와집을 사들여 가이와 나의 몸을 뉘인다.

올해 국민학교에 입학했다는 어린애들은 학교가 파하면 토끼처럼 토막촌 산비탈에 올라와 소나무 마른 껍질을 벗기고 칼로 긋는다. 어서 송진을 내놓으라고 작은 발로 나무를 깡깡 찬다. 피눈물처럼 송

---

91 발진티푸스.

92 현재의 충무로 2가에 있던, 내부에 굴이 있는 우물.

93 말라리아.

94 머리가 절로 흔들리도록 질려 한다.

95 매우 가난한 사람.

96 고요하거나 무료한 상태.

진을 흘린 나무는 제대로 서 있지 못하고 굽어 버린다. 가이는 이제 홀로 몸을 가누지 못한다.

"기미가요와, 치요니야치요니 사자레이시노 이와오토나리테 코케노무스마데-[97]
천황 폐하의 치세는 천 대 팔천 대에 조약돌이 암석이 되어 이끼가 낄 때까지-."

아이들은 학교에서 배워 왔다는 단조로운 노래를 부르고 목소리를 잃은 가이는 어렸을 적 유행했다던 노래를 부른다.

'황성 옛터에 밤이 되니 월색만 고요해 폐허에 서린 회포를 말하여 주노라. … 성은 허물어져 빈터인데 방초만 푸르러 세상이 허무한 것을 말하여 주노라[98].'
'고려는 조선에 망하고 조선은 일본에 망하고…'
"일본도 망할 것이다."

밖에서 군국 가요가 들려온다.

"나라에 바친 목숨 환고향 하올 적에 쏟아지는 적탄 아래 죽어서 가오리다[99]."

인간은 끊임없이 나고 끊임없이 죽는다. 천황의 치세는 영원하고 군인들은 단명한다.

"내가 천황의 치세보다 더 오래 살 것 같은데."

---

97 일본 국가 <기미가요> 가사.

98 <황성 옛터> 가사. '황성 옛터'란 터만 남아 황량해진 개성 만월대를 가리킨다.

99 군국 가요 <아들의 혈서> 가사.

너는 어떠한가. 내가 명절마다 성묘객 오는 7원 넘는 1등지 무덤은 가만 두되, 찾는 이 없는 50전짜리 6등지 묘지에서는 갓 죽은 어린애를 굴총[100]하고 명당에 투장[101]한 빈민의 시체를 기어이 파내고 화장해야 할 역병 환자에게 허위 진단서를 써 주어 매장케 한 다음 시체의 성한 부분을 발라내어 검사가 공소장 들이밀듯 네게 밀어 넣으면, 너는 그악스레 밀어내고 나는 패악을 부리지. 산 사람 고혈 빠는 자들도 있는데 왜 네가 단식을 하냐고. 네가 뭐라고. 너는 아무것도 안 했는데. 네가 왜.

네가 폐허에서 먼 옛날의 노래를 부를 때마다 내 핏기 없는 손끝을 너의 짓무른 손끝에 마주 댄다. 어쩌면 현재의 너는 먼 과거에 죽었고 내가 지금 보는 너는 몇백만 광년 전의 네 잔상일까. 그때도 나는 살고 있었을 터인데 그때의 나는 너를 만났을까. 그때의 너는 어디를 어떻게 앓았을까.

#

고향을 버리거나 시내에서 밀려난 이들은 성공해야지 떠나야지 하면서도 행성처럼 토막촌을 맴돌고 위성처럼 질병을 거느린다. 경성에는 약이 없다. 모루히네가 조선의 진통제며 마취제다. 병자들은 주사옥[102]의 돌팔이 의사에게 가 모루히네 주사를 맞는다. 내연의 연인처럼 질병을 끌어안은 이들이 초야의

100 무덤을 불법적으로 파냄.

101 다른 사람의 땅에 몰래 묘를 씀.

102 모르핀을 주사해 주는 곳.

봉창에 눈구멍을 내듯 우리 집 봉당[103]을 기웃거린다. 토막촌 산비탈에 어울리지 않는 이질적인 기와 저택에 등잔불이 들면 땟국물 전 누덕옷들이 백의의 의사에게 막무가내 매달린다. 손가락 없는 검은 손들이 흰 소매를 끌어당긴다. 헤진 신발 속 짓무른 발들이 위협하듯 돌부리를 걷어찬다. 피부가 벗겨지다 못해 녹아내린 듯 뼈가 드러난 억센 팔들이 내 팔을 잡는다. 시취가 확 끼친다. 시각과 청각을 잃어가는 얼굴들이 남아 있는 후각으로 코를 벌름댄다. 가이와 같은 증상이다.

"선생님, 나 주사 한 방만 놔 주소. 전번에 왕진 왔든 의사 선생님이 강장제라구 주사 한 방 놔 주니까 아픈 것두 싹 없어지구 힘이 펄펄 나드만."

"그런 건 강장제 아니고 모루히네다. 하등 도움 될 거 없는 마약이다."

"그럼 모루히네라도 놔 주소."

"그거 맞아 봤자 안 아픈 건 하루다."

"하루 벌어 하루 먹고 한 방 맞고 하루 사는 거우."

"난 모루히네는 취급 안 한다."

"잘난 소리 말구 이번 한 번만 놔 주소! 주사를 안 맞으믄 일을 못 나가는데 굶어 뒈지나 미쳐 뒈지나 이 꼴 저 꼴 다 매한가지 아뇨!"

우악스러운 손이 나를 잡아당긴다. 나뭇가지 같은 팔뚝에서 도저히 나올 수 없는 힘이다.

"아픈데 어쩌라구! 배가 고프다 못해 아픈데! 당장에 사람이라두 잡아먹을 수 있을 것 같은데!"

---

103 안방과 건넌방 사이의 작은 마당.

누런 눈이 번들거린다. 안광이 번득인다. 검게 썩은 이를 드러낸다. 침을 흘리고 피를 뱉는다. 저 달이 사람을 미치게 한다. 마디가 불거진 손이 손톱을 세워 살을 파고든다. 이연[104]한 추깃물[105]이 질척하게 묻어난다. 흥분한 숨소리가 탐욕스레 밤을 채운다. 나는 모든 죽은 자들의 어미이며 귀신들의 왕이다. 이곳에는 외계의 신호도 인간의 언어도 없다. 손아귀에 잡힌 모가지에서 초취[106]가 아득하다. 목구멍에서 울컥이는 피 섞인 가래가 아찔하다. 가이도 결국 이렇게 되고 마는 걸까. 아니다. 가이는 이들과는 다르다. 가이는 절대 이들처럼 되지 않을 것이다. 가이는 죽지 않고 괴물도 되지 않을 것이다. 내게 달려든 괴물을 잡은 손가락 하나하나에 힘을 준다. 왕진 와서 강장제를 놨다던 의사의 이름을 대라고, 이백여섯 개의 뼈를 하나하나 분지르기 전에. 가이가 나와 자신귀[107] 사이로 몸을 내던진다.

'우리는, 동족은 공격치 않아요.'

가이와 내가 동족인 줄 알았더니, 저들이 가이와 동족이었다. 가이는 동족 앞에 입을 벌려 가장 빠른 빛도 빠져나가지 못할 검은 구멍을 내보인다.

'너는 내가 될 것이다. 죽지 못하고 다만 헐고 곪아 결국 사그라질 사람아.'

---

104 색이 검음.

105 송장 썩은 물.

106 썩은 냄새.

107 모르핀 중독자.

내가 가이의 말을 들었듯, 가이와 같은 병을 앓는 이가 소리 없는 말을 듣는다. 공포에 질린 눈이 초점을 잃는다. 동족의 언어를 알아듣는 귀를 원망한다. 가이의 동족이 끝없는 어둠 앞에서 모루히네를 놓은 의사의 이름을 발설한다.

"하, 하이…."

하이. 일본어로 '네' 또는 '재'.

"의사 선생님, 나 좀 살려 주소. 나 좀 저리 안 되게 해 주소. 나, 난 괴물이 아니라 환자요, 환자. 나 아직 젊고 건강하니까, 치료만 잘 받으면은, 나을 수 있단 말요. 이전처럼 살 수 있다고, 그렇다고 말 좀 해 주소. 내, 의사 선생님이 시키는 거는 뭐든지 다 잘할게. 말 잘 들을게. 나 좀 제발 치료해 주소. 치료비는, 판돈 거하게 따서 섭섭지 않게 드릴 테니 걱정 마소."

혜성과 유성과 운석이 하나의 별이라면, 가이가 인육을 먹지 않더라도, 상한 부분을 성한 부분으로 교체하면, 육신은 점점 타인의 몸이 된다 해도, 가이의 뇌만 남아 있다면, 그는 여전히 가이다. 사람은 사람을 먹지 않지만 수혈도 하고 이식도 한다. 이것은 도덕과 상관없다. 의료의 영역이다. 자신이 괴물임을 부정하는 환자들이 풀이 채 돋지 않은 붉은 무덤을 파헤친다.

가이가 먹지 않는 신선한 시체를 그의 동족들에게 접붙인다. 죽은 부위를 절단하고 시체를 이식한다. 오늘 죽은 사람이 어제 감염된 사람의 몸이 된다. 어른의 팔에 아이의 손이 청년의 다리에 노인의 발이 여자의 얼굴에 남자의 코가 붙는다. 수술비 대신 빈혈 환자의 피를 받는다.

"이전번에 강장제 주사를 딱 맞았을 때 팔다리 힘이 막 세지구 펄펄 날아다니든 게 오히려 진짜 나였던 거 같단 말이지. 지금은 남의 팔다리라 그런지 영 내 몸 같지가 않어. 다시 한번만 그때처럼 활개치구 다녔으문 딱 좋을 텐데. 근데 그땐 이상하게 힘이 돋을수록 고기가 땡겨서 견디기가 힘들드라구. 저번에는 길 가든 사람을 보는데, 어찌나 회가 동하든지… 수술을 받았는데두…."

"내 몸은 내가 아는데, 이게 수술이구 뭐구 딱 고기 한 근만 사다 먹으문 끝나는 거지. 고기를 못 먹으니까 자꾸 끔찍한 생각이 드는 게야. 입덧하는 임산부마냥 딱 하나만 먹으문 다 괜찮아질 터인데…. 어제는 가게 주인집 어린애를 보는데, 볼이 토실토실허니 고놈 참 맛나겠다 싶더라구."

"의사 선생님, 내가 내 두 손으로 첫애두 받구 지금 사는 집터도 팠는데, 이 손은 굳은살이 없어서 그런지, 내 손이 아닌 것 같다우."

"이거 완치가 되긴 하는 거 맞수? 손을 바꾸면 발이 떨어지고, 발을 치료하믄 뱃가죽이 썩어 가구… 인제는 혀가 점점 녹아 버리는 것 같어…. 이빨은 돌도 씹을 수 있을 만치 날로 딱딱해지는데."

가이야, 왜 내가 잡고 싶은 손이 두 개밖에 없느냐. 왜 내가 키쓰하고 싶은 입술이 한 개밖에 없느냐. 왜 그마저 시들어 가느냐. 나는 네게 백 개의 얼굴과 천 개의 손을 주고 싶다. 네가 잠든 사이 나의 뼈와 살을 주고 싶다. 너는 나의 뼈 중의 뼈요 살 중의 살이요, 나의 가장 아픈 상처다.

가이야, 이제는 어디로 가야 하느냐. 괴물의 몸을 인간의 시체로 교체하여도 괴물은 그대로 괴물이다. 이식하고 남은 시체 조각들을 이어 붙인다. 갓난아기의 심장과 청년의 눈과 노인의 허리와 중년의 성기와 남자의 혀와 여자의 갈비뼈가 한 몸이 되어 화장장으로 간다. 꽃도 없고 경도 없이 3등 화장로로 간다. 애도도 돈도 없이 석탄으로 몸을 태우고 남은 재는 갈퀴로 긁혀 허공에 뿌려진다. 흩날리는 벚꽃잎처럼 분골이 분분하다.

"가이야, 너는 내가 두렵지 않느냐. 사람이 아닌 내가."

'천문학을 공부할 때 내 꿈은 외계인을 만나는 것이었답니다.'

- 가이 -

형무소에 있을 적에 하이바라 선생님이 면회 오신 적이 있습니다. 형무소에서도 나는 지상에 발 붙일 수가 없었습니다. 나도 모르는 단체에 소속되어 있다며 수감시키더니 알지도 못하는 사상을 포기하겠단 전향서를 쓰면 석방시켜 주겠다는 건 대체 어느 별의 중력이랍니까.

"이 새끼, 비행기 좀 태워 줘야겠구만?"

형무소의 낮은 천장은 무섭지 않았습니다. 팔이 꺾인 내 앞에서 팔을 쭉쭉 펴는 체조를 하며 피로를 푸념하는 간수의 얼굴에 비하면요. 나는 한없이 고독했습니다. 그럴 때 사람들을 생각했습니다. 어느

추운 날, 내가 죽였을지도 모르는 사람들을요.

#

그때 내 나이가 아마, 송진 캐는 아이들만 했을 겁니다. 아니면 더 어렸거나. 비행가 안창남[108] 씨가 고국 방문 비행을 온 날, 전차마다 사람들이 꽉꽉 들어차고 학생들은 깃발을 흔들며 행진하였습니다. 여의도에는 수만 군중이 찬바람을 맞으며 발을 굴렀습니다. 눈을 제대로 뜰 수도 없을 정도로 세찬 바람이었지요. 시간이 갈수록 군중의 기대는 점점 치솟았고 정오가 되자 마침내 안창남 씨가 격납고를 열었습니다.

나는 격납고가 열리지 않기를 바랐습니다. 추운 날 비행기를 띄우는 건 위험천만한 일이란 건 알고 있었습니다. 추우면 비행기 연료로 쓰는 기름이 얼어 버리니까요. 재주 비행[109]을 하려면 높이 올라가야 하는데 고도가 높아질수록 하늘이 차가우니 기름이 얼고, 그렇다고 낮은 곳에서 재주 비행을 하면 혹시 실수하거나 기계가 잘못되었을 때 바로잡을 여유가 없어 사고가 난다고 합니다. 약관의 조선인이 최신 문명의 정교한 기계라는 비행기를 운전함이 조선인의 우수함을 입증하고 과학에의 흥미를 고취한다지만, 그게 젊은 비행가를 구멍 난 하늘로 떠밀어 올릴 명분이 됩니까. 그 자리의 군중들은

108 한국의 하늘을 비행한 최초의 한국 비행사.

109 곡예 비행.

고대 로마의 검투사나 써커스의 곡예사를 구경하듯 비행가의 안위보다는 자신의 오락을 중시하고, 모처럼의 행사가 허사가 될까를 염려하지는 않았던가요. 나는 군중이 두려워졌습니다.

그 무거운 비행기가 마치 나비처럼 가볍게 군중의 머리 위를 스치듯 날고 새매처럼 내리꽂힐 듯 강하하다가 솟구치며 재주를 부릴 때마다 푸로펠라 소리보다 더 큰 환호가 작약처럼 펑펑 피었습니다. 귀를 막아 버렸습니다. 남들이 비행기에 매혹당할 때 나는 하늘에 매료되고 말았기 때문입니다. 하늘은 왜 파랄까 어쩜 저리도 높을까. 본래 하늘에는 경계가 없는데 인간이 국경을 긋고 아무나 갈 수 있는 하늘에 비행 면허를 부여했으니 나는 저 하늘 위 우주로 가 볼까. 아니, 사실은 차마 그 비행기에 아무렇지도 않게 환호를 보낼 수 없어 외면을 했는지도 모릅니다.

마침내 비행이 끝나고 군중이 손을 흔들고 안창남 씨를 연호하고 환영 깃발을 더 거세게 흔들 때 나는 왈칵 두려워졌습니다. 감옥에는 만세 불렀던 사람들이 아직 남아 있는데 이토록 거세게 환성을 지르고 깃발을 들어도 괜찮을까. 총포 소리가 아직 이명처럼 메아리치는데 이렇게 폭죽을 터뜨리고 기악대가 주악을 울려도 좋을까. 감옥 안의 사람들은 고만 잊혀진 걸까.

높으신 분의 축사, 각지에서 날아온 수백 수천 통의 축전, 군중의 무언의 재촉이 비행기를 띄워 올렸습니다. 그날은 비행기가 날기엔 너무 추운 날이었습니다. 몇 년 후, 안창남 씨의 비행기는 추락했습니다.

안창남 씨는 돈 만 원이 있다면 비행기를 사서 분해해 보고 조선인들에게 비행기를 가르치고 싶다고 했습니다. 그때 그 고국 방문 비행과 축하 행사를 돈으로 바꿨다면 만 원이 되었을까요. 그러면 그는 지금쯤 비행 학교에서 교수가 되어 있을까요. 그날 나 하나라도 장쾌한 푸로펠라 소리에 손뼉을 치지 않았더라면 비행가는 그 이후로 무리한 비행을 하지 않았을지도 모릅니다. 나는 내가 두려워졌습니다.

#

안창남 씨의 고국 방문 전후로 경성에서는 각종 과학 강화 강연이 열렸습니다. 하이바라 선생님도 열렬히 과학 보국을 설파하셨지요.

"과학은 무기요 힘이요 생명이오. 과학이 진보한 우국은 흥하고 과학이 퇴보한 열국은 망하나니, 저 구주 국가들을 보건대 일찍이 천문학이 발달하여 항해의 방향을 지시하니 이로써 신대륙에 진출하여 부강 대국이 됨이라. 수렵 채취에만 골몰하던 원주민은 지배당하나니 자연만 믿고 노력을 아니하는 민족의 말로가 실로 비참하오. 조선 민족은 일본의 수탈만 비판하나 그 시간에 과학에 힘써 지금의 열 배 스무 배 산출하는 신품종 벼를 개발하면 세금을 내고서도 떳떳이 우리 몫을 주장할 수 있을 것이외다. 오늘날 조선 청년이 일본에서 생산한 비행기로 신묘한 재주를 부리니, 지금이라도 구질서와 구도덕을 타파하고 신시대의 실용적 사고로 소년들에게 과학을 교육하면 미래에는 조선이 일본보다 먼저 록켓트를 달에 보내고 화성에 식민지를 건설할 날이 올 것이오."

면회 오신 하이바라 선생님께 그때의 추억을 꺼내 놓았습니다.

"록켓트라니, 그런 공상과학 같은 얘기를 내가 했었나. 그때 내 나이가 지금 자네 나이였겠군. 그런 연설에 감화되어 천문학을 공부한 건가?"

"그 의견을 반박하고 싶어서 천문학을 했습니다. 선생님은 천문학이 식민지를 착취하는 데 공헌했다고 하셨지만, 그 전에 천문학은 계급투쟁의 전위였습니다. 갈릴레오가 지동설로 법왕의 권위를 꺾게 하고 뿌르조아를 역사의 전면에 나서게 한 것이 천문학입니다. 지금의 과학은 거짓을 폭로하고 일본의 압제에서 조선인을 해방시켜야 합니다, 선생님."

"미국에 가서 천문학 공부를 하겠다고 하지 않았는가. 하려던 공부가 구체적으로 뭐였는가."

"생명이 거주 가능한 별을 찾아, 외계인을 만나려 했습니다."

"외계인들이 지구인보다 열등하다면 우리가 그곳에 식민지를 개척해야 할 터이나 아직은 그럴 만한 기술이 부족하고, 지구인보다 진화한 외계인이 있다면 필시 지구를 침공할 터이니 외계인을 만나겠단 건 영 좋은 계획은 아닌 듯싶네."

"다윈 씨의 진화론은 지구상의 생명체만을 대상으로 연구된 이론이니, 우주에는 다른 질서와 이론이 있을 것입니다. 저 광막한 우주에 지구인보다 진보한 문명이 하나쯤 없지는 않을 터인데 아직 그들이 침공하지 않은 걸로 미루어, 저는 외계인들이

지구인과 달리 호전적이지 않다는 가설을 세워 보려 합니다. 그들에게는 진화론과는 다른 이론이 있겠지요. 약육강식이 아니라 상부상조하는."

"얼른 석방되어 나와서 그 공부를 해야 하지 않겠나. 왜 전향서를 안 쓰나. 잠시 자신을 기만하고 오래 민족에 봉사함으로써 속죄하게."

"아무것도 안 해서 수감되었는데, 이제 와서 뭔가를 하겠습니까. 여기 오기 전에 절필하였습니다. 아이들이 송진을 캐러 다닐 때 이미 알고 있었습니다. 누구라도 조금만 의심해 보면 알아낼 수 있지요. 송진을 가공한 송탄유는 정제해도 하급의 연료라 전투기를 비행시키기 어렵습니다. 그런 전투기로는 미국의 무스탕 전투기와 대적할 수 없으니 카미카제를 날려 보내는 겁니다. 카미카제는 돌아오는 연료를 싣지 않는다지만, 그래도, 어쩌면, 혹시 제가 알면서도, 아무것도, 신문에 익명으로라도, 말하지 않아서, 청년들이 타국의 바다와 하늘 위에서 헛되이 죽었을지도 모릅니다. 아마, 인재웅 씨[110]도…"

"내 가는 길에 형무소 측에 강장제 주사라도 놔 달라구 부탁해 놓겠네. 자네 같은 인재가 민족을 위해 쓰이지 못하면 아깝지 아니한가."

그 이후로 하루에 한 번씩 오른팔에 강장제 주사를 맞으며 각종 실험을 당했습니다. 완력과 악력을 측정당하고, 지시대로 움직이는지 관찰당하고, 나처럼 주사를 맞은 동료 수감자를 마주 보고 물어 뜯으

---

110 조선인 최초의 카미카제 순직자로 알려진 '오장 마쓰이 히데오'의 원래 이름.

라는 강요도 당했지요. 사람이 사람으로 보이지 않고 사람이 사람에게 잔인해지는 게 아무렇지도 않으면 아니 되겠다 싶어 감정에 이름을 붙였습니다. 이 비열과 저열은 어디서 왔으며 모멸감과 자멸감은 어디로 가는가요. 숭고와 고결은 어디에 있는가요. 저 멀고 작고 반짝이는 별에 있나요.

그 별이 유성이 되어 몸을 다 태우고 그래도 소멸치 아니하여 운석이 될 때, 내 치악력이 강해지고 가속도가 붙고 궤도를 이탈할 때, 동료 대신 간수를 습격하고 주사약을 입안에 털어 넣었습니다. 차가운 암흑의 성운에서 뜨거운 새 별이 태어납니다. 입을 비우고 나는 괴물이 아닌 그 무엇이 되었습니다. 그때 어둡게 변색되어 가는 눈꺼풀 아래에서 밝아졌던 눈은 이제 먼지와 기체에 가려 흐려집니다.

딱딱딱딱딱딱딱 똑 딱딱딱딱 똑 딱딱딱딱딱딱딱딱[111]. 형무소 감방 안에서 누군가 아스라히 벽을 두드립니다. 나의 귀는 우주에서 오는 전파를 듣습니다. 벽 너머 무한한 공간에서 보내 오는 당신의 신호를 들었습니다. 나는 조선에서 미국의 단파 라디오를 듣듯이[112] 언젠가 인류가 우주와 교신할 날이 오리라 확신합니다.

그러니 나를 가여이 여기지 마셔요. 나의 다정한 외계인이여.

---

111 감옥 벽을 두드려 소통하는 타벽 통보법으로 '사랑'이라는 글자를 표현한 것.

112 1942년 조선방송협회의 한국인 직원들이 '미국의 소리(VOA)' 단파방송을 청취한 혐의로 체포된 바 있다.

별이 아슬히 멀듯이[113]

- 조이 -

- 토막촌은 도시의 배설물이요 토막은 명랑한 경성의 암이요 각종 전염병의 소굴이다.

기일부 퇴거 명령에 응하지 않을 시 강제 철훼한다. -

수포가 돋고 체온이 오르고 토사곽란[114]을 하기 전까지는 누구도 자기가 역병에 걸릴 거라 생각지 않는다. 집이 폭파되고 옷에 불이 붙기 전까지는 누구도 자기 머리 위에서 포탄이 떨어지리라 예상치 못

---

113 윤동주 시인의 시 <별 헤는 밤>의 한 구절.

114 토하고 설사하며 배가 아픈 증상.

한다. 경성의 하늘은 아직 맑지만 지상에서는 방공호를 파고 군사 시설을 건설하고 소개지[115]를 물색한다. 경성 부민의 안전을 위해 마른하늘에 날벼락 같은 철훼 예고를 받은 토막민들은 하늘이 무너져라 한숨 쉬고 하늘에 삿대질하다가도, 하늘은 스스로 돕는 자를 돕는다지 않나며 없는 살림에 돈을 꾸어 토막의 기둥을 세운다. 토막이나마 번듯하면 차마 헐지 못하리라 헛된 기대를 한다.

죽은 피부를 이식한 뺨에 닿는 바람은 차다. 감각 없는 남의 발이 언 땅을 디딘다. 큰 덩치에 맞지 않는 조그만 곱은 손이 얼음을 깬다. 월세 전세 내고 몸 뉘이고 밥 지어 먹고 어린것들 끼고 살았건만 토막촌은 남의 땅. 봄이 오지 않을 동토.

"이 혹한에 가혹하게 이래야만 하우? 어린것들 앵앵 울고 노인네들 주저앉은 참혹함이 보이지도 않수? 당장 어디로 가란 말요. 불법 점유한 땅에 살면 사람도 불법이 된단 거우. 우리가 살고 싶어 여기 살았수. 경성에 사람은 많고 집은 없고 있는 집은 비싼데 어쩌란 말요."
"전차 탈 돈 없어서 꼭두새벽부터 걸어 댕기는데 여기서 더 멀리 나가면 출근을 할 수가 없수다."
"굴정 하나 상하수도 하나 변소 하나 안 파 주구서 전염병 소굴이라는 게 말이나 되우? 토막촌이 불법이면, 왜 입때껏 단속 안 하고 내비뒀수?"
"대책을 내놓으래야지. 직업 장소를 설치하구 집

---

115 공습 따위에 대비해 한곳에 있던 사람이나 시설 등을 분산하여 옮겨 갈 곳.

지을 땅을 주구. 민간 대부업자 말구 우리에게 직접 땅을 불하해 달래야지 않겠수. 대부업자가 내놓은 빈민 구제 공동주택은 월세가 3원이 넘는데 그게 어찌 빈민 구제요? 빈민 착취지."

"대책이라곤 만주에 취업 알선이나 해 준다니 우리 같은 것들은 아예 경성에서 내쫓아 버리겠단 게 아니냐구."

"가자. 경성부로 가자. 일어나서 가자."

"지렁이도 밟으면 꿈틀한다. 밟는 대로 밟히면 시체지 어찌 산 사람이냐."

토막촌 꼭대기 기와집은 토막민의 제단이다. 피가 돌지 않는 손이 우리 집 문을 두드린다. 저린 발이 문 앞에서 서성인다. 우리를 긍휼히 여기시어 우리의 뜻이 땅에서 이루어지게 하시며 우리를 유치장에 들게 하지 마시며 우리를 태형에서 구하시며 우리가 내일도 일용할 양식을 얻게 해 줍쇼.

나의 신도들에게 가로다. 비폭력만이 핍박받는 자의 유일한 방패이다. 입을 다물라. 절대로 아무도 물지 말라. 저들에게 탄압할 명분을 주지 말라. 토막민 한 명의 실수는 경성 세민 전체의 허물이 될 것이다. 약자에게는 오직 도덕과 인내가 주장의 근거가 된다. 저들이 주는 것을 받지 말라. 그것이 족쇄와 비난이 될 것이다. 요구하지 말라. 순수하지 못한 이익집단이 될 것이다. 모든 것을 하되 아무것도 하지 말라.

"물정 모르는 소리 하구 앉았네. 일전에 평화적으로 만세 불러서 얻은 게 대체 뭐요."

"그렇다구 폭탄 터뜨려서 얻은 것두 없지 않아. 경성부를 싸그리 도륙해두 우리만 사형장 가구 사람 뽑아서 충원하고 그 새끼들이 또 토막촌 철훼 하면 그만이지 뭐."

허기진 토막민들은 스스로 입에 재갈을 문다. 경성부 앞에 주저앉는다. 아사하거나 분신하기 전엔 아무도 그들을 보지 않는다. 살을 에는 찬바람에 기아가 휘몰아친다. 이식한 손발이 얼어붙고 썩어 들어간다. 인육을 먹지 않으려 단식한다. 비틀거리고 뒤틀리고 휘청거리고 절룩거린다. 토막촌에 나병이 만연한다는 헛소문이라도 퍼지길 기다린다. 악취가 전차보다 빨리 하이의 후각에 닿길 기대한다.

신문에 단신이 실린다. 경성부는 명망 있는 중재자를 찾는다. 힘없는 입들은 하이의 이름 뒤에 숨겨진다. 인텔리 민족 지도자, 토막촌의 왕진 의사, 괴물의 아버지, 토막민들의 '하이', 하이바라가 토막민을 변호하고 경성부를 설득한다. 봉합된 혀가 접합된 신체들을 대신한다.

"배설물이 더럽다고 변소를 철훼하지는 않소. 개한테 어린애 배설물을 먹이던 미개한 구습을 문화주택 안에 변소를 들이게 하여 위생적으로 개선시켰듯이 토막촌도 무작정 철훼치 아니하고 얼마든지 문화적으로 구제할 수 있지 않겠소이까. 토막민을 단순히 극빈자로 보는 시선을 바꾸시오. 이들도 내지인들처럼 폐하의 충성스러운 신민이오. 성전의 시대에 언제든 경성에서 동원될 수 있는 가용 노동력이오. 이들에게 폐하의 작은 은혜를 베풀어 큰 보은을 받으시오."

토막민은 분변이 아니다. 경성부에게 토막민은 정

착한 부랑자일 뿐이다. 집행한다. 폭행한다. 처벌한다. 비탄과 통탄이 재갈에 가로막힌다. 대오가 흐트러진다. 핏자국이 질질 끌려나간 맨바닥에 글자가 남는다.

'토막민이 불법으로 땅을 점유해서 내쫓겨야 한다면 조선 땅을 무단으로 점령한 총독부는 왜 퇴거치 않는가.'
'명랑한 대경성에 야만적인 토막 철훼 엄동설한 강제 철훼 천황폐하 크신 은혜'
'똥이나 먹어라.'

하이가 토막민들 틈에 웅크려 있던 가이를 지목한다.

"저자가 선동하였소. 교사까지 하던 자가 조선 글자 가르치고 사상 강연 하였겠지 무식한 토막민들이 무엇을 알겠소. 주동자만 구속하고 나머지는 방면하여 주시오."

- 가이 -

재갈을 풀지 못한 신체가 구속되어 유치장에 함부로 처박혔습니다. 격리되고 고립되었습니다. 집을 잃은 이들은 말조차 빼앗겼습니다. 돈도 힘도 없는 자에게는 죄도 법도 없습니다. 경찰들은 유치장에 날 홀로 남겨 두고 토막촌으로 갔습니다. 하이 선생님은 빈 경찰서에서 뒷짐 지고 나를 내려다봤습니다. 나는 유치장 벽에 몸을 기댔습니다. 진물로 찍은 손자국이 흉터처럼 벽에 흔적을 남깁니다. 하이 선생님이 조막손에 펜을 쥐여 주었습니다.

'선동, 이라고요. 입이 없다고 언어도 없는 줄 아십니까. 경험보다 정직한 모국어가 어딨습니까.'

하이 선생님은 입이 찢어져라 웃었습니다.

"토막민들은 자네보다 진화했지. 감염이 더 진행되면 듣기는 해도 말할 순 없네. 그것이 황군에게 필요한 자질이네. 말하는 개에게는 목줄을 맬 수 없으니."

'아닙니다. 듣는 귀가 거부하는 겁니다. 목줄을 매고 싶으니까. 대체 왜 동포에게 이러십니까.'

"대동아전쟁은 조선에게 다시 없을 절호의 기회가 될 걸세. 일선동화, 내선일체라 하나 그동안 조선인은 차별받는 2등 국민이었네. 내선이 모두 천황 폐하의 적자라지만 내지가 형님이고 조선이 아우였네. 조선이 힘이 없어 내지와의 격차를 따라잡지 못하니 어쩔 수 없는 일이었네만, 이제 상황이 바뀌었네. 조선인이 군인이 되고 내지의 장교가 될 수 있는 길이 열렸네. 조선인은 내지인보다 키도 크고 다리도 곧고 혈액형 분포도 서양인에 가까운 우수한 민족이네. 내지인보다도 인간병기로 쓰기에 용이하단 말일세. 전쟁터에서 서양인도 두려워할 존재가 되어 조선인의 우수성을 입증하면 전쟁 후에 차츰 본토의 정부 요직으로도 조선인이 진출할 수 있게 될 걸세. 그러하면 자연히 조선인의 처우도 개선될 걸세."

'조선인이 일본의 전쟁에 피로 세금을 내는 게 옳습니까. 전쟁에 폭력을 보태는 게 바람직합니까.'

"일본은 지금 서양에 맞서 아시아를 지키고 있네. 아시아인이 서양 백인들의 노예가 되는 걸 막기 위해 원한은 덮어 두고 아시아인 모두가 일본에 협력해야만 하네. 여기에 조선이 더 기여한다면 전쟁 후에 대만이나 중국보다 조선이 더 나은 대우를 받을 걸세."

'설령 선생님 말씀대로 된다 해도 소수의 제국대학 출신들이나 출세할 것이며, 처우가 개선되는 조선인도 뿌르조아 계급에 불과할 겁니다. 왜 토막민들이 그들을 위해 생체 실험을 당해야 합니까.'

"전체 조선인의 이익을 위해 소수의 희생은 어쩔 수 없네. 멸사봉공인 게지. 그들에겐 자기 몸뚱이밖에 총후봉공할 수단이 더 있겠나. 천재가 머리라면 범인은 손발이네. 빈민은 신체 건강을 저해하는 암세포들이지. 천재가 사쿠라라면 일반인은 개나리쯤 되고 토막민은 솎아 낼 잡초일 뿐이네. 약한 개체는 도태되어야 종(種)이 진화하네. 독일 제국에서도 장애인들의 번식을 막지 않나."

'그렇다면 선생님보다 명철하고 부강한 사람이 선생님을 착취해도 용인하시겠습니까. 시신을 베고 누워 단꿈을 꿀 수 있습니까. 형무소, 토막촌…. 선생님은 약자들을 기만할 뿐입니다. 참말로 강력한 인간 병기를 원하셨다면 영양실조 걸린 수감자나 토막민 말고, 영양 상태 좋은 자제분에게 주사를 놓으셨어야지요. 민족과 가문의 영광을 위해, 자식 중에 한 명 희생시키지 그러셨습니까.'

"무골호인인 줄 알았는데 반골이었군. 이래서 내가 자네를 실험했지. 자네 정도가 군령에 복종하는 성전의 용사가 될 수 있다면, 탈영해서 광복군에 합류하려 드는 치기 어린 학도병들에게도 다

접종이 가능할 것 같아서. 형무소는 모든 조건이 통제되는 좋은 실험실이었네. 처음엔 죽여도 죽지 않는 무적의 인간 병기를 개발하려 했네. 응용하면 우성인자를 가진 인간을 영생불사하게 할 수도 있을 터이니. 세종대왕이나 이순신 장군이 지금까지 살아 계시면 조선이 이렇게 되지 않았을 것 아닌가. 그런데 치악력과 근력을 향상시켰더니 몸이 썩어 가는 부작용이 생겼네."

'부패한 건 내가 아니라 선생님입니다.'

"황군 쪽에서 불사의 군인은 원치 않더군. 군인은 죽어야 영광을 누리는 존재였던 게지. 죽은 군인을 야스쿠니에 모실 수는 있어도 살아 돌아온 군인에게 영광을 주진 않는단 말일세. 대본영에선 실험을 중단하라 했지만 나는 그럴 수 없었네. 조선의 미래가 달린 일인데."

하이 선생님은 탈주한 피험자를 추적했습니다. 나의 성품이라면 살인은 차마 할 수 없고 시체를 파낼 것이라 추정했습니다. 그렇게 들어온 공동묘지 토막촌에서 '괜찮은 실험 대상'인 토막민들에게 사비로 주사를 놓았습니다. 내가 무엇을 해도 하지 않아도 사람이 죽었지요. 나에겐 이 별의 중력이 너무 큰가 봅니다.

"대본영에서 원하는 대로, 동족은 공격치 않고 적이 없어지면 스스로를 먹어서 존재를 지우도록 하는 것까진 성공했는데, 명령에 복종시키는 건 여전히 안 되는군."

나는 흐느끼듯 허물어졌습니다.

'내 육체는 망가져도 정신은 무너지지 않습니다.'

"자네는 아직도 순진하게 조선이 독립할 거라고 믿는 겐가? 내 실험이 성공해서 '육상의 카미카제'들이 미국의 백인과 흑인들을 몰살시킨다 해도?"

'E pur si muove[116].'

하이 선생님은 돌아서고, 나는 흐물거리는 반 남은 몸피로 유령처럼 유치장 창살 사이를 빠져나왔습니다.

- 조이 -

토막촌에는 밤이 오지 않는다. 토막민들은 도와 달라 살려 달라 '의사 선생님'의 대문을 부술 듯 두드린다. 날카로운 겨울 햇빛은 총검처럼 괴물의 피부를 베고 찌를 것이다. 손가락이 떨어져 나가고 손이 부서져 피와 시즙으로 손도장이 무수히 찍힌 문을 열 수가 없다. 별도 달도 중력도 공기도 없는 캄캄한 집 안에 숨어 숨을 죽이고 밖을 내다본다. 오늘 이곳에 우주선은 오지 않을 것이다.

백야의 극지에선 조선인 인부들이 토막의 거적을 걷어 내고 묻어 둔 옹기를 깨고 널어 둔 빨래를 찢는다. 누구에게 하는지 모를 억센 상욕들이 허공에 산산이 흩어진다. 집을 잃고 정신을 놓은 노인이 망연히 주저앉는다. 아낙들은 그나마 성한 세간을 건지려 인부들 다리 사이를 기며 조각난 그릇을 줍는다.

---

116 '그래도 지구는 돈다.'라는 뜻의 이탈리아어.

인부들은 아무 데나 쇠 작대기를 휘두른다. 엉성한 토막집이 풀썩 쓰러지고 집을 껴안고 웅송그린 토막민의 앙상한 등 위로 발길질이 날아온다. 이미 없어진 집 위에서 사람들은 귀신처럼 곡하고 인부들은 백골을 분쇄하듯 집터를 내리찍고 또 내리찍는다. 하루 먹으러 하루 벌러 나온 인부들은 침을 뱉으며 숨쉬듯 욕을 하고 하루를 마치자 돌아갈 집이 없어진 이들은 더 크게 욕을 하다가 비명보다 무거운 울음을 토한다.

열리지 않는 문을 등진 토막민들은 재갈을 풀어버린다. 이제 누구의 것인지도 모를 팔다리가 인부들을 휘감는다. 타액 대신 시즙이 흐르는 입에서 인간의 언어 대신 괴물의 모국어가 나온다. 흙바닥에 나뒹구는 밥그릇을 걷어찬 발이 인부를 쓰러뜨린다. 혀 없이 치아만 남은 입들이 젊은 인부의 어깨를 물고 광대뼈를 부수고 무릎을 꺾고 살을 뜯는다. 인부의 몸이 분해되고 소화될수록 토막민들의 새살이 오르고 근육이 돋고 눈과 귀가 열린다. 밝아진 눈이 본다. 동족의 얼굴들을. 예민해진 귀가 듣는다. 선명한 입말로 흐느끼는 욕설들을. 민감해진 감각들이 자각한다. 악쓰는 조선인 인부들의 뒤에서 국경처럼 굳건히 뒷짐 진 일본인 경찰들을. 그 뒤의 총독부 청동빛 돔을. 거대한 검은 거인을.

가이의 동족들이 죽은 인부를 뱉는다. 대신 자신을 씹고 삼킨다. 신체는 조각나는데 식도와 소화기관이 인육을 원한다. 사람을 먹지 않기 위해 자신을 먹는다. 괴물에 의해 운명이 결정되기 전에 죽음으로 도피한다. 죽이느니 죽는다. 가이는 저들을 이해할 것이다. 입만 남은 얼굴들이 바닥에 뒹굴며 묵음으로 내게 호소한다. 나는 지구에서, 무른 무덤 위에서, 파훼된 토막촌의 꼭대기에서 그 모든 정경을 내려다보았다. 나는 망각이라는 인간만의 재능을 가지지 못하였다. 나는 그들의 동족이 아니다. 영원히 사는 괴물이다.

학교 다녀온 아이들이 없어진 집 앞을 지나친다. 휘어진 소나무에 제 이름을 새긴다. 송진이 혈루처럼 흐른다. 사람이 되러 갔던 이들은 빈 관에 담겨 비석 없는 허묘에 묻힌다. 공동묘지 위에 토막촌이 들어서듯 허묘 위에 학교가 세워지고 아파트가 오를 것이다. 봉분의 흙이 흩어져 무심한 허공을 떠돈다.

#

밤은 검은 거인처럼 온다. 미국 대륙과 남양군도의 피바람을 실어 온다. 가이와 나는 거인의 어깨에 올라탄다. 달빛을 가리고 별빛을 감추며 우리가 처음 만났던 병원으로 돌아간다. 불 꺼진 대기실에서 가이가 내게 기댄다.

'당신은 거인이 되고 싶었던 적이 없었나요.'

"현미경이 균을 보고 약이 혈관으로 흘러들 때 내 거처는 줄어들고, 전쟁이 역병보다 빨리 많이 넓게 죽이며 인간이 괴물을 창조할 때 나는 느려지고 작아지고 약해진다. 이제 토막촌의 괴물들도 죽고 너와 나밖에 남지 않았다. 나는 오랫동안 외로웠고 늘 나와 같은 괴물을 원했다. 사람의 마음을 지닌 괴물. 사람을 혐오하고 사랑하는. 나는 너와 눈을 맞춘다. 내가 더 커지지 않을 테니 너는 더 작아지지 말아라."

'나는 거인이 되고 싶었던 적이 있습니다. 별을 잡으려고요. 토성의 고리를 당신의 손가락에 걸고 은하수로 웨딩드레스를 맞춰 드리고 싶었지요. 별을 따다 드릴 수 없으니 당신께 가장 드리고 싶은, 가장 아름다운 말을 별에 이름 붙이려 합니다. 내가 죽고 조선어가 사어가 되고 그 이름이 지구에 존재하지 않게 된다 해도 지구가 멸망한대도 우주에 당신을 위한 이름이 있게요. 영원히.'

"그 이름을 지상에 붙일 수는 없느냐."

'별은 사람의 손이 닿지 않기에 빛나지요. 사람의 손이 닿으면 파괴되고 훼손되고 멸종해 버립니다.'

"그 별마저 사멸하면 어찌하느냐. 이 망막[117]한 우주에 나 홀로 남아."

'별이 태양보다 수십억 배 밝은 빛을 방출하며 죽으면, 그 분골은 우주로 퍼져 나가 새로운 별을 만들고, 지구의 원소가 되지요. 당신이 이름 부를 꽃과 별과 동물과 사람과 괴물과 곤충과 세균과 마음들 속에, 당신의 숨결에 손길에 디디는 발자국에 내가 있어요.'

#

이제는 중력도 대기도 달라져 버린 고향별에 착륙한다. 수술실의 문을 연다. 차가운 수술대 위에서 검은 양복을 입은 하이가 죽은 간수의 백골로 점을 치다가 나를 맞이한다.

---

117 넓고 멂.

"곳쿠리상, 이랏샤이마시타카.[118] 대일본제국이 승전하겠소 패전하겠소?"

"가라앉지 않는 역병은 없고 무너지지 않는 제국도 없다."

"의사 선생님은 하나도 안 늙으셨소. 영원히 젊으시오. 여기서 만났던 이후로."

"많이 변했구나. 아니, 하나도 변하지 않았나."

"의사 선생님 실력도 여전하시오. 접합 부위를 보고 바로 누구 솜씨인지 알아차렸소. 내 혀를 봉합했던 실력을 못 알아보겠소. 시체를 더 확보할 수만 있었다면 썩어 가는 신체 부위를 계속 교체해 가면서 내 실험을 더 오염시킬 수 있었을 텐데, 아깝소그려."

하이가 형무소 수형 기록 카드를 내민다. 내가 본 적 없는 이름과 얼굴의 가이가 있다. 망연한 은하를 건너 묘막[119]한 성운을 지나 광활한 우주의 이 작은 별에 온 사람이. 날 보는 가이의 얼굴에 휘선조[120]처럼 미소가 퍼져 나간다.

'달의 뒷면이 뭐 그리 신비롭고 대단할 줄 아셨나요.'

하이가 나와 가이를 번갈아 본다. 변하지 않은 얼

---

118 '곳쿠리 님, 오셨습니까.'라는 뜻의 일본어. 일본에서 귀신(곳쿠리상)을 부르던 놀이가 우리나라에서 '분신사바'가 되었다. 일제 말기 학생들이 이 놀이를 하며 일본이 태평양 전쟁에서 이길지 질지를 물어 경찰이 금지했다.

119 아득히 넓음.

120 달의 크레이터에서 방사상으로 뻗어 나간 선.

굴과 변해 버린 얼굴.

"의사 선생께서 무슨 연구를 하시는지 내내 추적했소. 왜 이 피험자를 은닉했는지 왜 토막촌에서 이식 수술을 하였는지. 선생도 나처럼 조국을 위한 연구를 하고 계시지 않소. 인간을 불로불사케 하는 연구 말이오. 선생을 보니 신체 손상 없이 불사의 존재를 만드는 데 성공하신 것 같소만. 어떻소, 나와 공동 연구를 하시는 게."

"누구를 영생불사 시키려느냐."

"나, 조선의 천재들, 대본영의 참모들. 내선의 무궁한 발전에 기여할 사람들이오."

"제국이 영원할 것이라 믿느냐."

"일본은 러시아에 승리하고 독일과 동등하게 협정을 맺었으며 중국 남경에 욱일승천기를 꽂았고 이제 미국을 패퇴시킬 것이오. 조약돌이 바위가 되어 이끼가 낄 때까지 영원할 것이오."

가이가 내게만 들리는 노래를 부른다.

'옥으로 연꽃을 새겨 바위에 접붙여 삼동이 피어야 님을 여의리다. 구슬이 바위에 떨어진들 끈이야 끊어지리까.[121]'

가이가 이어 부르지 않은 다음 구절을 마음속으로 뇐다. 천 년을 외따로 살아간들 믿음이야 끊어지리까.

"일본 제국의 권세와 영광이 너에게 있으리라 확신하는가."

---

121 고려가요 <정석가> 변형.

"괴물을 필요로 하는 자들은 언제 어디에나 있소."
"이 전쟁이 끝나고, 만약 조선이 독립해도 그러겠느냐."
"독립이 되면 형무소 교수대의 밧줄이 끊어질 것 같소? 토막민들이 다 아파트에 들어갈 수 있을 것 같소? 사상이 다른 사람들이 화합할 것 같소? 조선인이 권력을 잡으면 만세 부르는 국민들을 잡아 가두지 않을 것 같소? 조선인들이라고 다르지 않소."

내가 역병이라면 하이는 학살이 되리라. 결국 내가 괴물을 세상에 풀어 놓고 말리라.

"나에게 의술과 약을 넘기시오. 시간이 없소. 대본영은 이 실험을 만주의 관동군에 넘기려 하오. 그들이 성공하면 조선인이 성전에 기여할 수 있는 길도 막히오."
"너와 나는 동족이다. 나 또한 너처럼 죽지 않는 괴물의 창조주임을 믿겠느냐."

수술도로 내 손바닥을 긋는다. 한 방울의 피도 나지 않는다. 하이가 내 상처에 손을 넣어 보고야 믿는다.

"우두[122]를 접종하면 두창[123]을 앓지 않듯이 내가 너를 흡혈하면 너는 나처럼 될 것이다. 죽지 못할 것이다. 평생 햇빛을 보지 못하게 될 것이다."
"전깃불이 햇빛보다 강하오."
"피를 갈구케 될 것이다. 네가 흡혈한 인간들도 너

---

122 소에게서 구할 수 있는 천연두 예방 물질.

123 천연두.

처럼 될 것이다. 괴물이 되면 어디서 피를 구하려느냐."

"인류의 시대에 폭력이나 전쟁이 없는 시대는 없소. 설령 해방이 된다 해도, 사상이 다른 자들이 상대의 피를 간구할 것이오. 아직도 조선 독립을 믿는 자들이 있듯이, 체제에 저항하는 자들은 늘 있고, 그들을 탄압하는 권력도 항존하오. 이는 인류사의 확고불변한 진리요. 내게 피가 부족할 일은 없소."

"기어이 육체까지 괴물이 되겠느냐."

"2할의 천재가 8할의 우매한 민중을 영도할 때 인류의 도약이 있소. 내가 영원히 조국과 민족과 인류에 헌신하기 위해 그 정도는 할 만하오. 나에게 원하는 건 무엇이오?"

가이는 눈이 멀고 귀가 어두워져 간다. 별을 볼 수도 들을 수도 없어진다.

'제발, 나를 죽게 해 주십시오. 아무리 해도 죽지를 않아….'

"토막민들에게 실험한 약을 주겠소. 괴물이 죽을 수 있는 약."

익숙한 소리가 들려온다. 군화 발자국 소리. 허리춤에 찬 칼의 쇳소리. 철문이 여닫히는 소리.

"밖에 순사들이 와 있소. 선택하시오."

먼 우주에서 비행선이 와 있다. 가이가 걸을 수 있는 중력의 별에서 데리러 왔다. 비행선의 문이 열리고 섬광이 내려온다.

수술대에 조명이 켜진다. 하이의 목에 송곳니를

박아 넣고 얼굴을 묻고 피를 마신다. 인간의 피가 한 방울도 남지 않을 때까지. 나는 하이를 괴물로 창조하고 가이를 구원하지 못한다.

"가이야, 왜 악귀는 영생하느냐. 왜 너는 그러지 아니하느냐."
'나는 사람으로 죽으려 합니다.'
"너는 내게 같이 죽자고 하지 않고 나는 네게 같이 살자고 할 수가 없구나."

병원의 문이 열린다. 괴물이 풀려난다. 괴물은 사람을 먹는다. 괴물이 괴물을 증식시킨다. 탱크의 바퀴 위 경찰의 방패 뒤 감옥의 벽 너머 암매장된 무덤 속에 하이가 있다. 피가 고픈 괴물이 전쟁터로 감옥으로 돈과 권력과 망상이 있는 모든 곳으로 학살과 고문과 강간과 살인을 찾아다닌다. 오키나와의 동굴로 나가사키의 군수 공장으로. 부산과 마산, 제주와 광주, 광장으로. 탄압과 저항과 별과 시가 있는 모든 곳으로.

병원의 문이 닫힌다. 혀가 갈라진 뱀이 준 선악과를 문다. 나는 이제 태초의 인간처럼 부끄러움을 알고 지혜를 얻고 사람이 보지 못하는 것을 보게 될 것이다. 가이의 입에 독이 든 과즙을 뚝뚝 흘려 넣는다.

'전쟁이 끝나면, 다 괜찮아지면, 나 대신 천문학회에 편지를 보내 주셔요. 새로운 별을 발견해서 이름을 붙였다는 편지입니다. 아니, 부치지 아니하여도 상관없습니다.'

서로의 팔을 베고 누운 봄꿈은 한없이 달콤하다.

가이와 나는 끝없는 햇살 아래 꿈길을 걸어 태양

의 흑점 속으로 뛰어든다.

#

아교로 깃털을 붙여 만든 날개를 달고 날아오른 작은 소년은 태양을 이기지 못하고 추락한다. 인간은 비행기를 발명하고 초신성을 투하한다. 가이가 그토록 동경하던 하늘에서 별이 제 무게를 이기지 못하고 폭발한다. 태양보다 극렬한 섬광과 맹렬한 화염이 작열한다. 태양이 지구에 충돌한다. 말려 죽이고 태워 죽인다. 괴물의 치아는 빠지고 근육은 녹아내린다. 불기둥이 너무 밝아 별이 보이지 않는다. 별이 죽은 자리는 달처럼 황량하다.

괴물은 멸종되지 않는다. 조선어는 둘로 나뉜다. 지구인들은 달 착륙을 경쟁한다. 아침에 재판받은 사람은 밤에 사형당한다. 외계인은 지구인의 기도에 응답하지 않는다.

나는 바람결에 가이의 숨결을 만지고 잡초의 꽃망울에서 가이의 목소리를 맡고 어린 동물의 눈에서 가이의 체취를 본다. 간수들은 오늘 밤에도 '병사'한 시신을 들고 간판 없는 병원의 문을 두드린다. 불시착한 외계인을 부검한다. 가이와 같은 별에서 온. 그에게도 지구의 중력은 너무나 무거웠다. 지구의 중력은 언제쯤 달만큼 가벼워질까. 얼마나 더 많은 비행선이 운석처럼 충돌해야 할까. 부검 소견서에 길잡이 별의 위치를 쓴다. '고문사'.

까마득한 소수점 아래까지 정확하게 궤도와 인력을 계산하여 우주선을 띄워 올린다. 그의 고향 별로 보내는 편지에 소견서를 동봉한다. 혜성이 날아와 지구에 유성우를 내리는 밤에 별똥별을 보며 소원을 빈다. 이 편지가 가이의 별에 가 닿기를.

딱딱딱딱딱딱딱 똑 딱딱딱딱 똑 딱딱딱딱딱딱딱딱. 가이가 우주에서 보내오는 답시를 듣는다. 수술도로 편지를 개봉한다. 가이와 나만 알고 있는 별이 부치지 않은 편지 안에서 빛난다. 암적응된 눈을 들어 별도 달도 없는 밤하늘에서 가이의 위치를 찾는다.

깜빡, 하는 눈 안에

반짝, 이는 별의 이름은

사랑.

영원히 저 멀고 어두운 하늘에서 오직 빛나는.

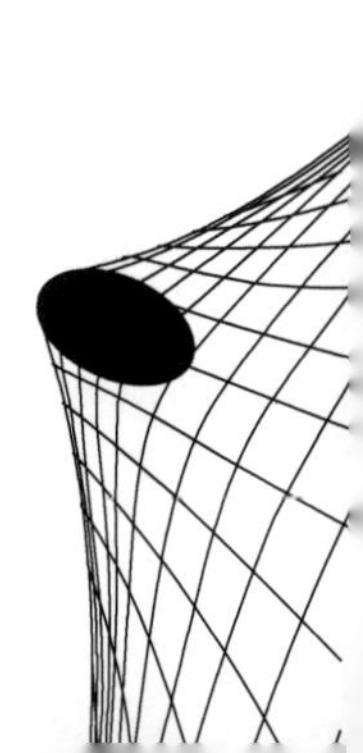

추천글

<까라!>는 1930년대 경성에서 치마를 바지로 꿰매 입고 고무신을 발에 꽉 끼어 신고 가위를 들어 머리를 자른 여자들이 2020년대 한국으로 보내는 슬프도록 기나긴 롱패쓰이다. 여성들에게 사적인 '마음'도 주체적인 '힘'도 결코 허락되지 않던 시절 모든 것을 무릅쓰고 마음껏 뛰고 힘껏 차서 보낸 마음이자 힘이다. 시대의 가혹한 스텝오버에 가로막혀 끝내 다음 세상으로 건너오지 못한 여성들과 가까스로 건너온 여성들이 감히 함께 품어 봤던 최후의 달콤한 꿈이다.

책장 너머로 그것들을 받아 내면서 여러 번 울었다. 그 얼굴들에 동시대 여성들의 얼굴이 겹쳐 더욱 그랬다. 그들의 염원대로 "전 조선 여자 축구 대회"가 열리고 있는 현대를 살아가는 여성들은 "왜놈에게 당한 만큼 조선 여자를 밟는" 조선 남자들에게 혐오당하고 "축구는 지들이 하고 여학생들은 우승 깃발에 자수나 놓으라"는 성차별적 억압을 받은 경성의 여성들과 얼마나 다른가.

축구에서 여러 포지션을 능수능란하게 소화하는 멀티 플레이어 같은 한켠 작가는 <어둔 방은 우주로 통하

김혼비 작가

고>에서는 같은 경성이 배경이지만 완전히 다른 톤과 리듬으로 모두가 괴물인 시대에 인간적 존엄을 지키려는 한 개인의 처절한 이야기를 그리며 역시 또 하나의 질문을 던진다. 경성의 괴물은 현대의 괴물과 얼마나 다른가. 어둔 방은 우주로 통하지 않는다. 어둔 미래로 통할 뿐이다.

롱패쓰를 받았다면 꼴을 넣고 이겨 경기를 끝내야지 미래로 다시 넘겨서는 안 된다. 어둔 방을 밝히고 승리하기 위해, 그 밝은 승리를 미래에 전하기 위해, 한켠이라는 소중한 작가를 경유하여 경성에서 날아든 구호를 나의 자매들과 함께 외쳐 본다. 까라!

추천글

레드비로드의 축구 스타일은 어떤 모습일까 상상해 본다. 발 빠르고 터프한 권옥이 원톱을 맡아 상대편 진영으로 끊임없이 파고들어 괴롭힐 것이며, 막순은 왕성한 활동력으로 공수 모두에서 중원을 지배하리라. 아직 세계적으로도 토털풋볼 패러다임이 등장하기 전이니 유기적이고 유려하진 않을지라도 축구라는 스뽀츠 특유의 원초적이고 전투적인 에너지가 넘치는 그런 축구. 이러한 축구의 전투적인 성격으로부터, 시대의 변환기에 선 레드비로드의 전사들이 구시대의 여성 비하와 성 역할 강요, 식민지 치하의 정치적 억압을 상대로 치러 낸 전투들에 대한 은유를 읽어 낼 수도 있을 것이다. 하지만 <까라!>의 좋은 점은 그러한 시대적인 은유를 숨기지 않으면서도 축구를 문자 그대로의 축구로 묘사했다는 데 있다.

체력 단련을 위해 스쿼트 100개씩을 하며 허벅지가 날로 단단해지는 과정, 판정이 훨씬 관대했던 시절답게 서로 거친 태클을 주고받는 모습, 상대의 밀집 수비에 고전하다가 빈틈을 노리고 파고드는 전술적 변화까지, 여기엔 공 하나와 운동장만 있으면 누릴 수 있는 육체적 해방감

위근우 기자

과 생동감이 그대로 드러난다. 때론 생소한 근육통을 통해서만 확인할 수 있는 살아 있음의 확실성이 있다. 흙먼지와 땀으로 뒤범벅된 레드비로드 멤버들에게 축구란 몸으로 경험하는 자유의 순간이지 않았을까. 그런 경험을 했던 그들이 그 전의 시간으로 얌전히 돌아가 순응할 것이라고는 도저히 상상하기 어렵다. 아마 이 책을 읽으며 공감할 많은 독자들이 그러하듯.

작가의 말

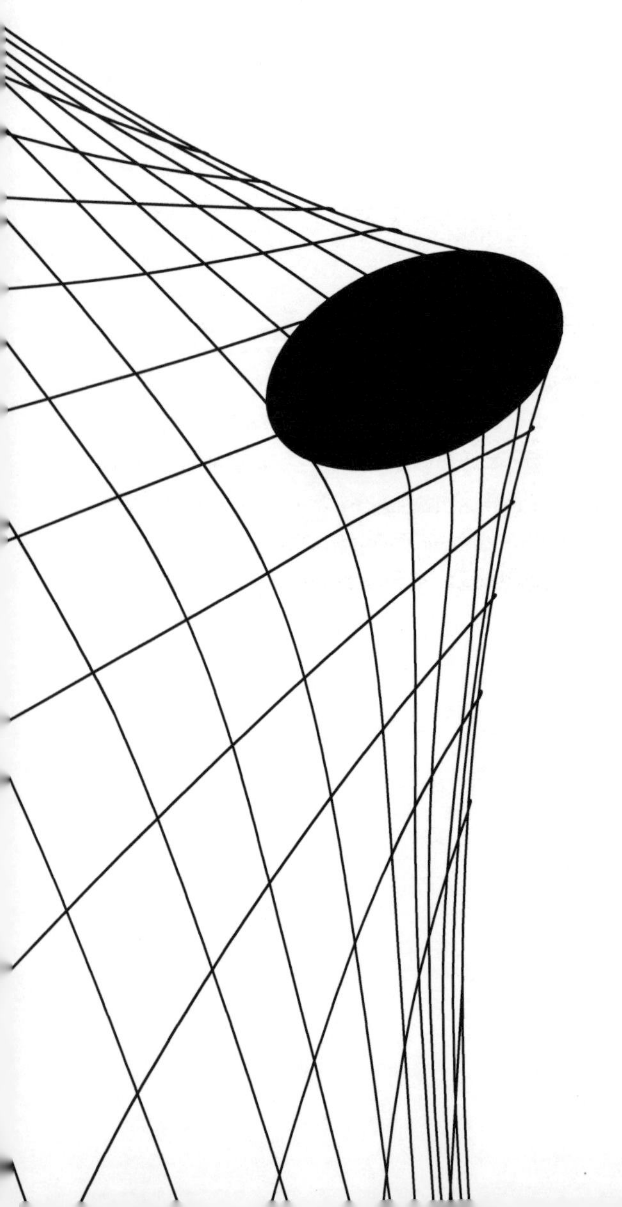

<까라!>
멀다고 하면 안 되갔구나

<까라!>를 처음 구상한 건 2018년이었다. 4월엔 김정은 위원장이 냉면을 가져와서 "멀다고 하면 안 되갔구나."라는 멘트를 남겼고, 6월엔 한국이 러시아 월드컵에서 독일을 2:0으로 이긴 해였다. '누가 이럴 때 남북 관계랑 축구가 나오는 이야기를 쓰면 대박 치겠다.'라는 생각이 들었다. 나만 이런 생각을 한 게 아니었던지 일제강점기에 열렸던 경성 팀과 평양 팀의 정기전인 '경평전'을 부활시키자는 이야기들이 나오기 시작했다.(김정은 위원장이 농구 팬이었던 탓에 축구 대신 남북 통일 농구를 했다….) 현실에선 개최되지 못한 '경평전'을 소설로나마 쓰려고 하던 차에 트위터에서 이브나 님이 여학생들이 축구하면 재미있겠다고 하였고, 여학생+경평전+축구+남북이라는 소재에 "까라!"라는 응원 구호를 쓰는 순간 이 소설의 모습이 명확해지는 느낌이 들었다.(처음 구상한 내용은 '평소에 호감 있던 언니가 축구 구락부를 만든대서 입부한 여학생. 알고 보니 축구 구락부는 훼이크고, 사실은 학생 독립운동 조직이었는데… 얼결에 독립운동에 휘말린 이 평범한 여학생의 앞날은?'이었다.)

'여학생들이 축구하는 소설'을 썼지만 사실 학생이었을 때는 체육 시간을 싫어했다. 공 하나씩 받아 들고 '여자는 피구 남자는 축구'하는 체육 시간이 오면 "내 쪽으로 살짝만 던져 줘." 해서 일부러 공을 맞고 나오기 일쑤였고 나중엔 아예 운동장 구석 버드나무 그늘 아래서 체육 시간 내내 낮잠을 자는 풍류를 즐기곤 했다. 나 혼자만 한량이었으면 괜찮았을 텐데 나를 따라 낮잠을 자던 애들이 차츰 늘어나는 바람에 딱 걸리고 말았다. 학생 인권이

라곤 없던 시절답게 체육 선생님은 우리 반 모두에게 "운동장 끝에서 끝까지 뛰어! 선착순이닷!" 하는 단체 기합을 내렸는데… 항상 운동장 구석 사각형 안으로 공이나 던지던 여학생들이 축구하는 남학생들을 제치고 운동장을 전속력으로 가로지르는 엄청나게 신나는 경험을 하고 말았던 것이다. 그동안 체육이 재미없었던 이유는 운동장을 종횡으로 누비면서 마음껏 뛰지 못해서였다!

이후에 가끔 "우리도 축구하고 싶어요." 해서 '공 하나에 스물다섯 명 몰려다니기'를 시도해 봤지만 체육 시간의 활동은 다시 피구로 돌아왔고, 내 머릿속에서 축구는 잊혔다. 그러다가 <까라!>를 쓰면서 풋살(다섯 명이 한 팀이 되어 실내에서 하는 미니 축구)을 하게 되었고, 정신 차려 보니 우리 편이든 아니든 아무나 근처에 있으면 패스해 주는 햇병아리 공격수가 되어 있었다.

이 소설을 쓰면서 개성 넘치는 인물들을 공평하게 출연시키는 게 어려워 '다시는 열한 명이 뛰는 스뽀츠를 소재로 쓰지 말아야지.' 하고 여러 번 다짐했지만 어느새 레드비로드 구락부 열한 명(경희, 노라, 혜란, 승혜, 채윤, 권옥, 영선, 은조, 남연, 막순, 보나)과 정월에게 정이 들었다. 어쩔 수 없이 누군가는 자주 나오고 누구는 분량이 적었지만 독자님들께서 그들의 숨겨진 이야기를 상상해 주시길 바라 본다.

<어둔 방은 우주로 통하고>
형무소의 시구문은 어디로 통하나

이 소설은 서대문형무소에서 시작되었다. 아득한 터널 같은 시구문은 어디로 통하는지, 먹방(한 사람이 겨우 누울 수 있는 독방. 하루 종일 빛이 들지 않아 먹물처럼 어둡다 하여 '먹방'이라 불렸다.)에 갇힌 한 사람의 뒷모습은 어떨지를 상상하며 쓰기 시작했다. 내가 서대문형무소에 갔던 해가 마침 3.1운동 100주년이 되던 해라 고문당하는 비명 소리를 덮는 만세 소리를 들을 수 있었고, 벽을 가득 채운 수형 기록 카드 속의 결연하거나 겁먹거나 무표정하거나 살짝 미소 지은 얼굴들을 볼 수 있었다.

그리고 창백한 피부에 붉은 피를 탐하는 뱀파이어 여의사. 우생학을 신봉하다가 극단까지 가 버린 과학자. 구(舊) 안전가옥 내부에 있던, 사면이 거울로 된 방에 혼자 앉아 거울 속의 수많은 나를 보면서 분열되어 버린 인물들을 떠올렸다. 안전가옥에 들락거릴 때마다 신 PD님이 뭘 쓸 거냐고 물어보셔서 그때그때 떠오르는 대로 말한 것이 그대로 이 소설이 되었다. 그러니까 내가 아니라 뱀파이어 여의사 조이와 하늘과 바람과 별과 시를 사랑한 가이와 해방 이후에도 건재했던 하이가 썼다는 뜻이다.

> 경성은 학술의 최고 기관으로서 경성대학이 있고 유수한 도서관이 많다. 그러나 여항에는 자기 성명은커녕 문자란 무엇인지도 모르는 무학문맹의 사가 있지 않으며 대은행과 대회

> 사와 대저택이 있는 반면에는 밥도 죽도 제 끼에 못 먹는 무수한 노숙군이 있지 않는가. 연극장, 박물관, 공원이 그 얼마나한 사람의 오락적 만족을 주느냐. 그 장외급 원내에 수많은 무뢰한을 발견하지 않는가. 연부년 팽창하는 대경성의 행진곡은 이 모든 "콘트라스트"의 첨예화에 반한 질식할 합주곡임을 깨닫게 할 뿐이다[1].

흔히 '경성물'에는 네온사인이 빛나는 경성의 낭만과 그런 신문물에 현혹되지 않는 독립운동이 함께 나오지만 이 소설에서는 그 둘 다를 보여 주지 않고 그 둘 다를 보여 주려 했다. 너무 낭만적이지도 않고 너무 비참하지도 않을 것. 그 당시의 경성은 '괴물'들이 있어도, 누가 '괴물'이어도 어색하지 않은 곳이었다. 다만, 무엇이 끝까지 사람을 사람이게 하고 괴물을 괴물이게 하는가를 보여 주려 했다. 서대문형무소 옥사의 같은 방 안에 일제강점기 독립투사들과 해방 이후 민주화 운동 인사들의 자료가 함께 전시되어 있는 것을 보면서, 그런 이야기를 쓰고 싶다고 생각했다.

경성의 거리에서

신세계백화점 본점을 돌아다니다가 미쓰코시백화점에서 향수를 사는 경희를 만난다. 경희는 나를 모르고 나는 경희에게 아직도 경평전이 열리지 않았다는

---

1 <대경성은 어대로 가나>, ≪동아일보≫, 1929년 10월 17일.

사실은 말하지 않기로 한다. 경희는 옆구리에 잡지를 낀 정월과 카스텔라를 먹으며 나를 스쳐 지나간다.

서대문형무소는 이제 더 이상 감옥이 아니라 공원이자 역사 기념관이 되었다. 나는 먹방 앞에 조용히 서서 가이의 뒷모습을 보고 그곳의 모든 공기에서 조이의 시선을 느낀다. 사람으로 살기란, 참 어렵지 않아? 조이가 내게 묻는다. 나는 답하지 못한다.

'나는 왜 경성을 쓰는가'라는 주제의 작가 살롱에서부터 인연을 맺어 파트너 멤버일 때 '경성, 뱀파이어 여의사, 서대문형무소'라는 키워드만으로 이야기를 끌어내 주시고, <까라!>를 '해체 후 재조립'해서 개작할 수 있도록 도와주신 김신 PD님과, 안전가옥, 꼼꼼한 교정과 고증으로 이 이야기들을 더 정교하게 만들어 주신 이혜정 편집자님께 감사드린다.

프로듀서의 말

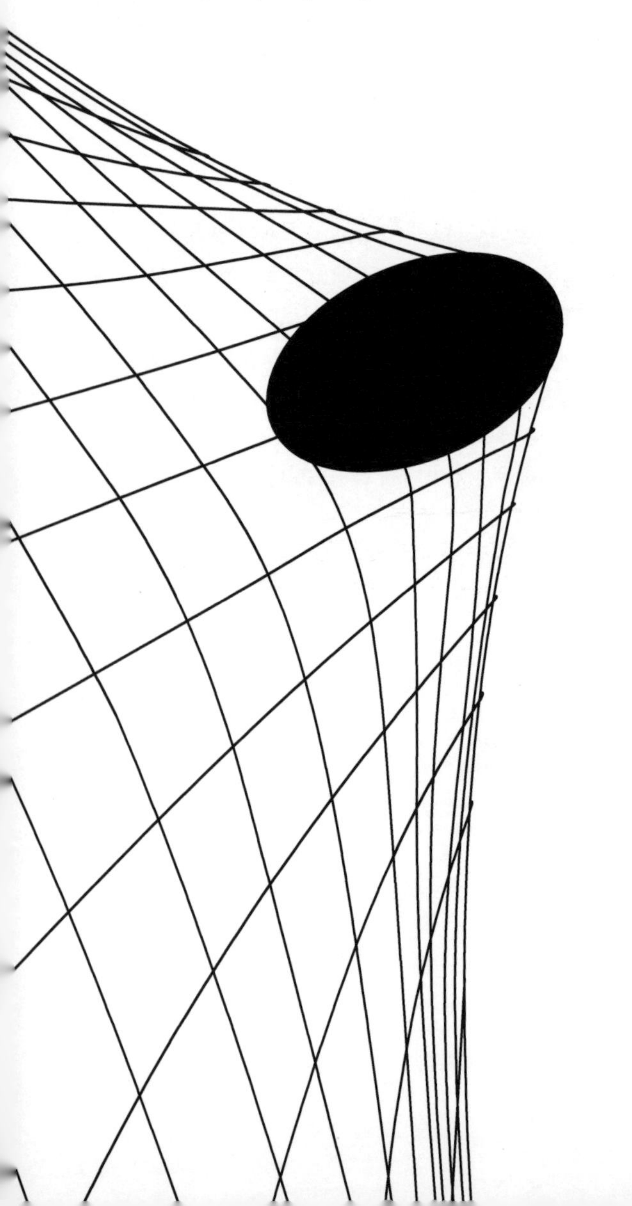

2018년 겨울, 온라인 소설 플랫폼 '브릿G'에 올라와 있던 한켠 작가의 <까라!>를 읽었습니다. 일제강점기 경성을 배경으로 여학생들이 축구도 하고 연애도 하는 이야기가 서간문 형식으로 펼쳐지는 작품이었죠. 이제 와서 말씀드리지만, 정말 뭐라 표현할 수 없을 정도로 좋았습니다. 처음으로 골드코인을 충전해서 몽땅 후원했다니까요.

<까라!>를 장편소설로 개발하고 싶다고 제안했는데, 거절당했습니다. 좋아하는 마음에 제가 너무 부담스럽게 다가간 것은 아닐까 후회하기도 했어요. 나중에 들은 이야기지만, 한켠 작가는 당시의 안전가옥을 신뢰하기 어려웠다고 해요. 이쪽 동네에 워낙 수상한 일들이 많으니까, 충분히 이해할 수 있었죠.

2019년은 작가와 안전가옥이 천천히 신뢰를 쌓아 올려 가는 시간이었습니다. 1월에는 한켠 작가의 '작가 살롱'이 안전가옥에서 진행되었고, 3월부터는 '파트너 멤버십 체험 프로그램'을 통해 맛보기(?) 협업을 진행할 수 있었죠. 이 프로그램을 통해 만들어진 이야기가 <어둔 방은 우주로 통하고>입니다. '일제강점기 경성, 뱀파이어 여의사, 서대문형무소'라는 키워드만 가지고 시작한 이야기가 이렇게 아름답게 완성될 줄은 몰랐죠.

이후로는 모든 것이 자연스러웠습니다. 안전가옥의 새로운 라인업 '쇼-트' 시리즈를 기획하면서 <까라!>를 떠올렸고, 이번에는 마음이 맞았습니다. 이제는 추억이 되어 버린 연무장길 안전가옥의 벙커에서, <까라!>의 개작 방향에 대한 이야기를 깊고 길게 나누었습니다. 처음 한켠 작가에게 연락한 지 꼭 1년이 되는 날이었습니다.

이 책에 수록된 두 작품은 '일제강점기 경성' 하면 떠오르는 대부분의 클리셰들을 무시하고 지나칩니다. 억압하는 일제와 저항하는 조선, 독립운동의 낭만 같은 것들 말이죠. 대신 그 자리를 온전히 여성들의 이야기로 채웁니다. 고향을 떠나 경성으로 올라와 '신여성'으로서의 새로운 삶을 다짐하는 '경희'와, 서대문형무소 뒤에 병원을 차리고 수술대에 고인 피로 연명하는 뱀파이어 여성 의사 '조이'의 이야기 말입니다.

작가는 '일제에 고통받는 조선'이라는 구도를 무시하고, '여성'의 이야기를 시작합니다. "조선 여자는 조선 남자의 식민지다."(<까라!>), "나는 일본인도 조선인도 아니다. 괴물이다."(<어둔 방은 우주로 통하고>) 그리고 이들을 사랑에 빠지게 합니다. '경희'는 경평전에서 만난 평양 언니 '정월'과 사랑에 빠지고, '조이'는 자신이 직접 숨을 불어넣어 창조한 피조물 '가이'와 사랑에 빠집니다. 얼핏 보기에 너무나 다른 분위기를 가진 두 작품은 사실 '로맨스'라는 강력하고 거대한 서사를 공유합니다. 네, 모든 것이 사랑 때문이에요. 낭만적이죠.

그리고 여기에 한켠 작가 특유의 아름다운 문장들이 더해집니다. <까라!>는 일기와 편지글 형태로 구성했고, <어둔 방은 우주로 통하고>는 시를 연상케 하는 문장들로 가득 채웠습니다. 작품의 제목부터 소제목까지 윤동주의 시들을 인용하기도 했죠. 새로운 원고가 올 때마다 소리 내어 읽어 봤는데, 눈으로 읽을 때와는 또 다른 아름다움이 느껴지더라구요. 독자 여러분들께도 강력히 추천드립니다.

2019년 1월 안전가옥에서 진행된 '작가 살롱'에서, '어떤 작가가 되고 싶으냐.'라는 질문에 한켠 작가는 이렇게 대답했어요. "현재에는 독자들보다 조금 앞서 나가고, 미래에도 낡지 않고 세련되게 읽히는 작가"가 되고 싶다고요. 독자 여러분들이 보시기엔 어떠세요? 제가 보기엔, 이 한 권의 책이 대답으로 충분하다고 생각하거든요.

멋진 책으로 완성해 주신 이혜정 편집자님, 금종각 이지현 디자이너님께 감사드립니다. 그리고 안전가옥 운영 멤버들께 - 뤽, 클레어, 테오, 쿤, 헤이든, 모, 레미, 시에나 - 늘 감사합니다. 부족한 프로듀서에게 아름다운 작품들을 맡겨 주신 한켠 작가님께 가장 큰 감사의 인사를 전합니다.

안전가옥 스토리 PD
김신 드림

까라!

지은이 한견

기획 안전가옥
프로듀서 김신 · 정지원
김보희 · 이수인 · 이은진 · 임미나
퍼블리싱 박혜신 · 임수빈
편집 이혜정
디자인 금종각
서비스 디자인 김보영
비즈니스 이기훈
경영지원 홍연화

펴낸이 김홍익
펴낸곳 안전가옥
출판등록 제2018-000005호
주소 (04779) 서울특별시 성동구 뚝섬로1나길 5,
헤이그라운드 성수 시작점 202호
대표전화 (02) 461-0601
전자우편 marketing@safehouse.kr
홈페이지 safehouse.kr
ISBN 979-11-90174-89-3
초판 1쇄 2020년 8월 26일 발행
초판 2쇄 2022년 5월 30일 발행
초판 3쇄 2024년 10월 3일 발행

안전가옥 쇼-트 시리즈

01 심너울 단편집 《땡스 갓, 잇츠 프라이데이》
02 조예은 단편집 《칵테일, 러브, 좀비》
03 한켠 단편집 《까라!》
04 전삼혜 단편집 《위치스 딜리버리》
05 《짝꿍: 듀나×이산화》
06 김여울 경장편 《잘 먹고 잘 싸운다, 캡틴 허니 번》
07 설재인 단편집 《사뭇 강펀치》
08 김청귤 경장편 《재와 물거품》
09 류연웅 경장편 《근본 없는 월드 클래스》
10 범유진 단편집 《아홉수 가위》
11 《짝꿍: 서미애×이두온》
12 배예람 단편집 《좀비즈 어웨이》
13 하승민 경장편 《당신의 신은 얼마》
14 박에스더 경장편 《영매 소녀》
15 김혜영 단편집 《푸르게 빛나는》
16 김혜영 단편집 《그분이 오신다》
17 강민영 경장편 《전력 질주》
18 김달리 경장편 《밀림의 연인들》
19 전삼혜 단편집 《위치스 파이터즈》
20 강화길 단편집 《안진: 세 번의 봄》
21 유재영 경장편 《당신에게 죽음을》
22 해도연 단편집 《위그드라실의 여신들》
23 가언 단편집 《자네 이름은 산초가 좋겠다》
24 백승화 경장편 《성은이 냥극하옵니다》
25 박문영 경장편 《컬러 필드》
26 이하진 경장편 《마지막 증명》
27 권유수 경장편 《미래 변호사 이난영》
28 청예 경장편 《수빈이가 되고 싶어》
29 권혁일 단편집 《첫사랑의 침공》
30 최해린 경장편 《우리들의 우주열차》